井上勝生
Katsuo Inoue

幕末・維新

シリーズ日本近現代史①

岩波新書
1042

はじめに——喜望峰から江戸湾へ

ペリーとマンデラ

和暦で嘉永五年、陽暦の一八五二年一一月、日本を開国させる使命をあたえられたペリーは、アメリカ東部の海軍基地を出港し、大西洋を横断、アフリカ大陸西岸を南下し、ちょうど二カ月後、年が改まった五三年一月下旬に大陸南端の、イギリス植民地だったケープタウンに入る。本書の最初の主題である江戸湾の浦賀へ投錨《とうびょう》するのは、さらにその五カ月半後である。

『ペリー提督日本遠征記』の、この大西洋からインド洋へと航海するあたりは、欧米の植民地にされたアフリカやアジアの諸民族の様子がじつに興味深く描かれている。南アフリカの部分を紹介しつつ、本書の序言にかえよう。

一八五三年の南アフリカは、五〇年から始まっていたイギリスと南アフリカ諸部族とのムランジェニ戦争がイギリス軍の勝利に帰していた。ペリーは、牢獄に捕らえられたコーサ族（諸部族の総称）の首長夫妻を訪問し、会見する。武運つたなく、妻や属僚とともに捕虜となった首長は、二〇代半ばの立派な容貌の青年であった。画家ブラウンが描いた首長夫妻の肖像のう

WIFE OF SOYOLO.

ち、夫人の肖像を上に掲げた。『ペリー提督日本遠征記』の図版のなかで格別に印象に残るものである。気品があり、深い憂愁が伝わってくる。このコーサ族の子孫の一人が、南アフリカ共和国の反アパルトヘイトの不屈の運動家、後に大統領となったマンデラである。

彼は、弾圧裁判(リヴォニア裁判、一九六三年)での、世界中の関心が集まった反対陳述や自伝で述べているように、悲痛な境遇に堕ちた部族の長老たちから、七〇年以上前の、一九世紀前期から中期におよんだ戦争(血の河の戦い、斧戦争、そしてムランジェニ戦争)で、イギリスに敗北した諸部族の首長たちの数々の物語を聞いて育った。長老によって語られるのは、敗北した英雄たちのイギリス軍に対する「勇猛さ」であり、そして「心の広さ」、「慎み深さ」である(遠征記は、諸部族を「カフィール族」と総称しているが、当時の蔑称である)。

少数を尊重する黒人伝統文化

養父の首長や側近たちが、部族の会議で示す政治を、彼は見てよく学んだ。会議は満場一致までつづけられる、首長に向かって厳しく遠慮のない批判が飛び交う、首長は聞き役に徹して終わりが近づくまでいっさい口を開かない、反対があれば、会議は持ち越された。少数意見が多数意見に押しつぶされることはけっしてなかった。マンデラは、西欧の知識も十分に身につけた弁護士であったのだが、リーダーシップというものについては、南アフリカの部族会議から深く学び、それを後年まで育んだ、と述べている。

一九世紀半ばの当時、「未開」とされた黒人伝統文化には、欧米とちがって、少数を真に尊重するような独自の包容力があった。それが、マンデラたち、アフリカ民族会議(ANC)の、白人にも門戸を開いた汎アフリカ人主義の普遍的な考え方と運動を育てた一因である。一九九〇年代には、マンデラとアフリカ民族会議は政権について、ついに白人支配をうち負かした。

黒人伝統文化は、滅ぼされることはなく生き続けた。部族会議を見聞し、敗北した英雄たちの話を聞いて彼が育ったのは一九二〇、三〇年代だが、当時南アフリカは、黒人を数パーセントの土地に押し込める政策が実施された最悪の時代であり、その時代を生きのび、反アパルトヘイト運動を支えた伝統文化の根強さは、まさに敬服に値する。それは、未開どころではない力量をもっていたのであり、欧米の文明を逆転したのである。

成熟した民衆世界の再評価

一九六〇年代になると、ベトナム戦争などにも影響されて、すでにアジアの伝統社会が再評価され始めていた。このような伝統文化・社会の世界的な再評価の動向を承けて、一九八〇年代頃から、日本でも江戸時代後期の見方が新しく変わってきた。かつて日本は、欧米の文明に対して、半未開と位置づけられ、日本の側でも、維新政府以後は、そうした評価をすすんで受け容れてきたのであったが、それから、ようやく解き放されたのである。

とくに民衆史の研究で、伝統社会が新しく解明されている。本書でも紹介するように、江戸期の民衆の訴訟を願いでる活動は、私たちの想像よりはるかに活発だった。百姓一揆への一般百姓の参加も、事実上、公認されており、幕府や藩は、こうした農民の活発な訴えを受け容れることが多かった。江戸時代、幕府や藩の支配には、成熟した柔軟な仕組みがあった。

欧米列強の到来に対して、日本より事態がはるかに深刻だった南アフリカ(内的な発展は、高かったといわれている)でも伝統社会が解体しなかったのと通底しているのだが、幕府外交も、本文で述べるように、成熟した伝統社会を背景にその力量を発揮するのである。「極東」の東端という、地勢上、有利な位置にある日本においては、発展した伝統社会のもとで、開国が受け容れられ、ゆっくりと定着し、そうして日本の自立が守られた、というのが本書の一貫した立場である。

伝統社会の力は、幕府の外交能力に限らない。地域経済の発展に支えられた商人(売り込み商人)たちが開港場にこぞって殺到したのもそのことをよく表している。日本では、貿易を、外からの圧力によってではなく、内から定着させてしまったという事実も、近年の経済史研究によって明らかにされている。

日本の開国は、比較的早く定着した。そうであれば、幕末・維新期の対外的危機の大きさを強調するこれまでの評価を大はばに見なおす必要がある。

維新史を見なおす

切迫した対外的危機を前提にしてしまうと、専制的な近代国家の急造すら「必至の国家的課題」だったということになる。しかし、一八七一年から政府要人たちが長期に米欧の回覧のために日本を「留守」にできたのはどういうふうに説明できるだろうか。欧米列強の圧力のあったのは事実だが、それに対抗してではなく、逆にそれを追い風として、明治政府の外交政策が東アジアの隣国に対する侵略へと向かう道筋、そして、日本民衆が伝統社会に依拠して、新政府に対して激しい戦いを展開した事実を中心として、江華島事件の新史料などの近年の成果を紹介しつつ、維新史をあらたに描きなおしたいと思う。

〔追記〕文中の、年月日の表記について。一八七二(明治五)年一二月二日までは、とくにことわらないかぎり、陰暦である。なお、一八七三年一月一日以降は、陽暦に替わる。

引用史料は、スペースの関係と、分かりやすさを重んじて、原文の味わいを生かしつつ、部分的に、口語訳にしたところがある。また、かたかな文をひらがなに、漢字をひらがなに直したところもある。なお、引用文中カッコ内の説明は、筆者のものである。

目　次

第1章　江戸湾の外交

日本絵師が描いたペリー再来航時の旗艦ポーハタン号．初来航時の旗艦サスクェハナ号と同型船．船首側から見た図(「ペリー渡来絵図貼交屏風」(部分)，東京大学史料編纂所蔵)．

1　黒船来航

浦賀の沖で

久里浜《くりはま》の海辺で、浦賀奉行はじめ六十余人の武士たちは、「西洋流砲術師範」下《しも》曾根《そね》金三郎のもと、大筒《おおづつ》ボンベン・モルチール砲の砲撃訓練をしていた。相模国（現・神奈川県）久里浜は、江戸湾の入口へ向かう浦賀水道西岸の比較的小さい浜である。一八五三（嘉永六）年六月三日、訓練は三日目に入っていた。夕刻、沖合を異国船四隻が江戸湾へ向かって通りすぎ、やがて浦賀沖に投錨《とうびょう》した。アメリカ合衆国の遣日特使、ペリー（一七九四～一八五八）の来航である。私たちは、久里浜のこの西洋流砲術訓練を記憶にとどめておこう。

四隻のうち二隻が蒸気軍艦で、旗艦のサスクェハナ号は、二四五〇トン、新鋭のフリゲート（快速）外輪式の軍艦であった（章扉図参照）。これにくらべて、当時、和船最大の千石船でもせいぜい一〇〇トンクラスにすぎなかった。生え抜きの海軍軍人、ペリー提督は、アメリカ艦隊の主力艦を、帆船から蒸気船に編成替えする改革にあたり、メキシコ戦争（一八四六～四八年）でも、艦隊司令長官を務めていた。今回は、東インド艦隊司令長官兼遣日特使に任じられ、本国からは「遠隔地」のために、「広範な自由裁量権」をあたえられていた。当時、ニューヨークから上海までは、大西洋側をまわる航海に五〇日余もかかっていたのである。

江戸湾のすぐ外側の小港、浦賀は、幕府の防衛拠点である。浦賀奉行所が、湾に入る廻船を検査することになっていた。久里浜で訓練を行っていた浦賀奉行たち一隊は、ただちに浦賀へもどり、与力《よりき》中島三郎助が旗艦サスクェハナ号に番船をこぎよせる。与力は、石高一〇〇石クラスの中下級武士で、同心《どうしん》以下をひきいて、実務の中心になった武士である。

ペリー艦隊のオランダ語通訳が、冒頭、船は「北アメリカ合衆国」の船であり、大統領から将軍に宛てた書簡を持っており、「日本高官」でなければ交渉しない、と宣言する。奉行所与力は、オランダ通詞《つうじ》を介して、「日本の国法」では、「高官」(奉行)が、異国船に応接することはないと拒絶した。冒頭から、日米のきびしい論戦であった。この時、ペリー側が重大な言明をしたことが、幕府側の交渉記録「対話書」に記されている。

ペリーは、カッター(「端舟《はしぶね》」)で上陸し、大統領書簡を「高官」にじかに渡すと実力行使を言明したのである。しかし、この強硬発言に対して与力中島も、屈することはなかった。国には「その国の法」があり、その法を犯すことはできない、と応じたのだった。応酬のあと、中島は副奉行と詐称して、旗艦への乗艦を認めさせる。

東アジアの歴史の転換点になったアヘン戦争(一八四〇〜四二年)のときに、二三七万斤余のアヘンを廃棄した林則徐《りんそくじょ》が、イギリス代表に「イギリスでは、(他国へ行くと)その国の法律に従うしきたりになっているはずだ」と反論したことが、清国開明派の知のレベルを示したものとして知られている。ペリー来航の一四年前である。林則徐の反論は、近代国際法を林則徐が漢訳させた『各国禁律』によっていた。一方、ペリー来航時に洋式軍学の知識を示した与力中島は、その後、長崎海軍直伝習（海軍伝習所）に参加して造船や航海術の修業をし、幕末日本の洋式軍制改革の指導者になり、箱館戦争の五稜郭の戦いで新政府軍と戦い戦死する。新政府には木戸孝允《たかよし》のように、中島の教えをじかに受けたものもいた。中島の応答の趣旨は、林則徐の右の発言とおなじである。アメリカとの軍事力の格差が、どうにもならないほど大きかったことは事実であった。しかし一方、外交という場面で、これまで幕府の「軟弱」、「屈従」ばかりが強調されてきたのだが、軍事とは区別された、真の意味での外交が展開していたことを再評価する必要があるのではないか。

近代国際法

ペリーは、日本に対して、「一文明国」が他の文明国に当然払うべき儀礼的な態度をとるよう断固要求した、と浦賀投錨当日付で海軍省に報告していた。では、そのペリーは文明の儀礼を守ったのであろうか。当時、欧米の国際儀礼では、どのような慣行がつくられていたのだろうか。

欧米では一八世紀以後、外交や戦争、条約、貿易などの慣行を積み重ねて、国際法ができあがっていた。高官との応接が論争になったが、一九世紀はじめの「ウィーン規則」で、今日のものとほぼ同じ外交使節の制度と儀礼が決められていた。ペリーが高官との応接を要求した背景には、この外交儀礼の国際法がある。ただし、このころの国際法は、今日からみれば民族自決権がないなど重要な欠落があるので、現代国際法と区別して、近代国際法と呼ばれ、幕末・維新期には、「万国公法」という名称に中国(清)で翻訳され、日本にもたらされた。近代国際法も、主権国家を一つの単位としており、国家の法的主権が認められ、内政不干渉原則や法の上の国家平等権もできあがり、戦争で市民や捕虜を保護する「戦争条規」もつくられていた。

海上での慣行も確立していた。海は、公海と領海、内水の三つに分けられる。公海は、公海自由の原則によって、あらゆる船に開かれており、領海には、無害通航権が保証され(軍艦には保証されない)、当時は、砲弾の届く範囲、三カイリ(約五・六キロメートル)と定められていた。内水の一つが湾である。湾口の幅が六カイリ(約一一・一キロメートル)以内であれば、領土の一部と見なされる。江戸湾は、湾口の幅約七キロメートル、現在もそうであるが、領土の一部として扱われる。

浦賀投錨の三日後、ペリーは、江戸湾内へ測量船四隻を送りこむ。蒸気軍艦ミシシッピー号に護衛された測量船団は、湾口の観音崎を迂回し、横須賀も越え、金沢沖の深い小湾に入る。ペリーの、このような日本側番船団の阻止を退けた、武力の示威による江戸湾内無断侵入は、領土への武力侵入であり、日本の国法に反するとともに、ペリー自身が遵守すると述べていた文明国の慣行、近代国際法にもまったく違反するものであった。

図 **1-1**　礼拝するペリー艦隊の船員たち．礼拝の休日，黒人兵，少年兵も祈る（『ペリー提督日本遠征記』挿絵）．

近代国際法の「差別の構造」

ただし、近代世界において、問題は単純ではなかった。

一八世紀ヨーロッパで形成された近代国際法は、一九世紀なかばに入ると、トルコや中国、日本、朝鮮をはじめ、適用範囲を、現在第三世界とよばれている地域に広げていく。しかし、これはもともと欧米のキリスト教の文明諸国だけに妥当する「ヨーロッパ公法」であった。江戸湾内海へ侵入する前日は日曜日で、ペリー艦隊は、休日とし、キリスト教文明国らしく礼拝した（図1－1）。

しかしその一方で、文明国という自意識は、現在の第三世界の国家と民族に対する、西欧側からの「差別の構造」を生んだのだった。近代の欧米では、世界の民族と国家を「三つの群」に区分する。文明国、半未開国、未開の三つである。文明国は欧米の国々、そして半未開国は、トルコ、ペルシャ、タイ、中国、朝鮮、日本などであり、未開は、それ以外の多くの諸民族のことをいったのである。未開は国と認められず、近代国際法のまったくの妥当範囲外であった。

文明国と未開のあいだに、日本などの半未開国がある。半未開国は、江戸湾の外交でもできたが、国法のあることを欧米から認められた。しかし、その法は、あくまでも「半未開の法」であって、「文明の法」とは見なされない。欧米であれば認められる外国人への国法の適用が認められず、領事裁判権など各種の特例が設けられた。近代国際法からいえば、「主権」を制限され、対等には扱われなかったのである。

アメリカ国務省の一般命令

ペリーは、前年、陽暦の一八五二年一一月、東海岸から大西洋回りで出航した。その時、国務省から「一般命令」が出されている。それによると、大統領には「宣戦の大権」がないから、使節は、当然に「平和的性格」のものであり、「自衛上必要とするばあい以外は」けっして武力に訴えるべきでない、と先制攻撃が禁じられていた。「一般命令」のこの部分はよく引用され、「平和外交」とすら評されてきた。だが、ペリー外交を「平和外交」と言いきることはきわめてむつかしい。実は、国務省の「一般命令」は、長文であり、その中に、欧米の、非欧米に対する「差別の構造」にかかわる重い内容が含まれているのである。

「一般命令」は、冒頭に、かつてモリソン号事件で、漂流民を返還に江戸湾へ来航したアメリカ商船を砲撃した日本を、自国の漂流民すら救助しない非人道の国と批判して、日本を「半未開の弱小国民」と位置づける。商船モリソン号は、一八三七（天保八）年、通商を求め、日本人漂流民をともなって浦賀に来航したが、日本側の砲撃をうけて退去していた。アメリカ国務省は、このような半未開の日本に対する「議論や説得」を、「堂々たる兵力の示威に支持されて」進めるものとし、ヨーロッパの国際法から「逸脱する」ことを許可し、「日本沿岸においてもっとも適当と思われる地点に全艦隊を進め」て交渉を開始するよう、ペリーに指示していた。

日本に文明の儀礼を「断固要求」する一方で、ペリー自身が、右のように国際法からの「逸脱」を国務省に従って既定の方針としていたことは、まったくのご都合主義である。浦賀奉行所が、ペリーの江戸湾内侵入に対して、「かねての国禁」あるいは、「不法の致し方」と主張して抗議をくり返したのは、ペリー外交の問題点を的確についていたのである。

2　開国への道

オランダ別段風説書

アメリカ大統領書翰を江戸湾で受け渡す、というペリーの要求に対して、幕閣の評議は、「衆議まちまち」であった。一方、ペリーと接した浦賀奉行は、ペリー浦賀投錨の翌日に、現地は武力衝突も起こりうる事態となっているが、「おかため方、お手薄」と、戦力の劣勢を報じて、受け取りやむなしと上申した。評議を続けていた幕府は、ペリーが江戸湾に侵入した六日その日に、「書翰受け取り」の命令を浦賀奉行に授ける。

幕閣は、決断の理由を、オランダ国王の「忠告など」と、アヘン戦争による中国の敗北の先例、そして「環海の国柄」でありながら軍事力が整っていないこと、この三点で説明している。オランダ国王の「忠告など」には、一八四四(天保一五)年にもたらされたオランダ国王の開国勧告、そして、毎年送られてくるオランダ別段風説書《べつだんふうせつがき》などがあげられる。

アヘン戦争の四年後、一八四四年に幕府に送付されたオランダ国王の開国勧告は、アヘン戦争によって中国が開港し、多大の賠償金を払い、領土を割譲したこと、くわえて、日本にも、軍事的侵略的な「武威《ぶい》世に輝け」るイギリスの来航が迫っていること、また、ナポレオン戦争終了後のウィーン体制の安定と、そのもとでの産業革命と世界貿易の発展を説いている。

オランダは、江戸時代はじめから、オランダ風説書として、ごく簡単な海外情報を、毎年、幕府に送っていた。しかし、重要なのは、アヘン戦争二年後の一八四二年から、幕府の求めによって毎年提出されたオランダ別段風説書である。驚くほど多くの、前の年の世界中の海外情報が幕府に送られていた。

別段風説書の構成は、毎年、定式化されていた。一八五三年の別段風説書の情報を、次頁の表1-1に掲げた。一八五二年の世界的事件は、フランスでルイ・ナポレオンが帝政を復活したことである。「ローデウェイキ、ナポレオン、ポナパルテの趣意にて、その国帝号を復しそ

表 1-1　1853(嘉永 6)年オランダ別段風説書の情報(抜粋)

条　数	
1	オランダ国王女，ストックホルムにて出産
2・3	オランダの暴風雨多発，大被害
7	イギリス・オランダ間の海底電線着工
10	スマトラ，パレンバンにて反オランダ運動の平定
11	アメリカ人，原住民と反オランダ活動で重罪に
12・13	モルッカ諸島の大地震，多数の死亡と大被害
14・15	ボルネオ島西岸，中国人の反オランダ蜂起と鎮圧
16	東インド領オランダ海軍の海賊再討伐と不首尾
17	中国，太平天国農民軍の南京占領，英軍後退
18・19	イギリス，自由貿易と保護貿易の論争
20	ウェリントン将軍の死去と大葬礼
21	イギリス，オーストラリアとカリフォルニア移民
22・23	ナポレオン三世帝位即位，スペイン王女と結婚
26	オーストリア国王，ハンガリー反乱側騎士が襲撃
27	モンテネグロとトルコ国，領土紛争
28	トルコ，オーストリア出兵，ロシア艦隊黒海派遣
29・30	フランス艦隊のダーダネルス海峡派遣，紛争休止
31	イタリア内オーストリア領ミラノ独立蜂起と敗北
34・35	モンテネグロ紛争，トルコの野心で一触即発に
36・37	ロシア，モンテネグロ侵出，ヨーロッパに戦雲
38・39	ニューヨーク万国博覧会の開催
40・41	パナマ運河計画決定．エリクソン蒸気機関改良
42	米，60 年間の人口推移，白人，先住民，黒人統計
43・44	カリフォルニアの大雪害，新金鉱の発見と好況
45	メキシコの反政府運動，再蜂起
46	南アフリカ，カッフル族とイギリスとの講和条約
47・48	オーストラリアの大金鉱発見と社会混乱
49	中国・東インドの英，仏，露，米，軍艦一覧
50	ペリー艦隊，香港経由，琉球集結，日本出航
52	イギリス・ビルマ戦争とイギリス艦隊のビルマ派遣
53	オランダ海軍，ジャワの艦隊一覧
54	ペリー艦隊，オランダ通報，平和の趣意，艦隊全容
55	ロシア，プチャーチンの来日出航，軍艦二隻

『大日本古文書 幕末外国関係文書之一』より作成．

うろう衆評(国民投票)あい決し、同人、国帝にまかりなり」と、以下三カ条にわたって詳しく報じられる(二二条から二四条)。東南アジアのオランダ植民地の情報(八条から一六条)、イギリスに対するビルマの第二次ビルマ戦争(五二条)、おなじく南アフリカでのイギリスに対する南アフリカ民族の抗戦(ムランジェニ戦争、四六条)まで、地球全体の情報が載せられるのである。

日本へ向かう途中のペリー艦隊一二隻について、船名、トン数、砲数、乗組員数、船長名が正確に報じられる(五四条)。一方、インド洋以東の世界最強の大英帝国の軍艦も一八隻が列記されている(四九条)。

ただしこの海域で、イギリスの軍艦は、数では他を圧するが、大きさは一〇〇〇トンクラスにとどまっていた。二〇〇〇トンクラスは、アメリカのサスクェハナ号とこれもペリー艦隊の再来航で来日するポーハタン号の二隻だけだった。アメリカの二隻が他を圧倒する巨艦であることが、別段風説書から容易に読みとれるのである。

ペリー来航の前年、一八五二年の別段風説書は、ペリーに、日本へ向かう命令が出されたこと、その目的は、第一に通商、第二に貯炭所と述べ、「上陸、囲軍《かこみいくさ》の用意」をし、武器を積み入れていることも報じていた。幕府はペリー来航を事前に知っていたのである。

幕府の非大国主義外交

幕府は、決断した要因の第二に、アヘン戦争の先例をあげる。「大国の中国でも国を狭められし程の国害」になったと、中国の敗北を指摘する。言外に、まして日本のような「小国」の場合という、幕府の認識が見られるであろう。また、第三の要因として、日本は「環海の国柄」、つまり海洋国家であるが、海岸の軍備が整わず、容易ならない「国難」になる、と判断していた。

海洋国家日本の首都、江戸は、臨海都市である。ペリーは、「小型の砲艦、二、三隻」あれば、「江戸市を破壊するに十分」と観察した。江戸城は、海岸からわずか三キロメートル、欧米の中型砲の射程距離内である。六月三日、初日の応接の去り際、与力中島は、艦上の巨砲を見て「これはパクサンズ砲〔フランス開発の新鋭巨砲〕ではないのか、射程距離は」と尋ねていた。

しかも、シーボルト（江戸参府の経験がある）や江戸後期の経済学者佐藤信淵《のぶひろ》が指摘している、江戸のもう一つの弱点もみのがせない。江戸は、人口一〇〇万を越える世界的にも最大規模の、幕藩体制の政治の仕組みが人為的につくりあげた巨大消費都市であった。大坂その他からの海上輸送による物資の補給が必要であった。そのため、江戸湾で輸送が妨害されれば、「一週間」（シーボルト）あるいは「一〇日」（佐藤信淵）で江戸は飢餓に苦しむ、と指摘されていた。江戸は、巨大だが、脆弱な首都なのである。ペリーは、シーボルトの著書をはじめ、あらゆる日本文献を研究したと述べていた。

以上のことから判断して、幕府は、「大国の中国」でも敗北したといい、それを前例として、避戦方針をとったのである。六月六日の江戸湾侵入の際も、浦賀奉行は、数十艘の番船が測量用カッターと対峙する現場で、「そのままに致し置きそうろうよう」と番船団に指示したのであった。幕府の、大国主義でない、避戦という冷静な判断が、実は重要なのである。

久里浜の西洋銃陣隊

六月九日、アメリカ大統領書翰の受け取りが、久里浜で行われた。大統領フィルモアは、一九世紀に入って世界が変化したこと、五年前に、カリフォルニアにゴールドラッシュが起きたので、西海岸のカリフォルニアと中国のあいだの航路が待望されていること、太平洋航路が開かれれば、カリフォルニアへ「一八日」で到着すると説明する。アメリカは、イギリス同様、中国から生糸、茶を買い、中国へは、木綿とアヘン（トルコアヘン）を売り込んでいた。産業革命期、照明用鯨油をとるアメリカ捕鯨船が多数、日本沿海に出漁しているために、海難救助の依頼も述べている。ゴールドラッシュ直後から、中国人が、毎年、数千人ずつ、はるか大西洋回りでカリフォルニアへと移住し、労働力として迎え入れられてもいた。アメリカの要求は、通商、補給、遭難海員の保護、この三つであった。

久里浜には、海兵隊と水兵、約三〇〇人が、銃剣を装着したマスケット銃を携えて上陸し、浜を半円状に回り込んで応接所へ行進した。この迂回行進は、西洋の兵力を誇示する「よい機会」になったと『ペリー提督日本遠征記』は述べている。ところが、同書には、ペリーたちが

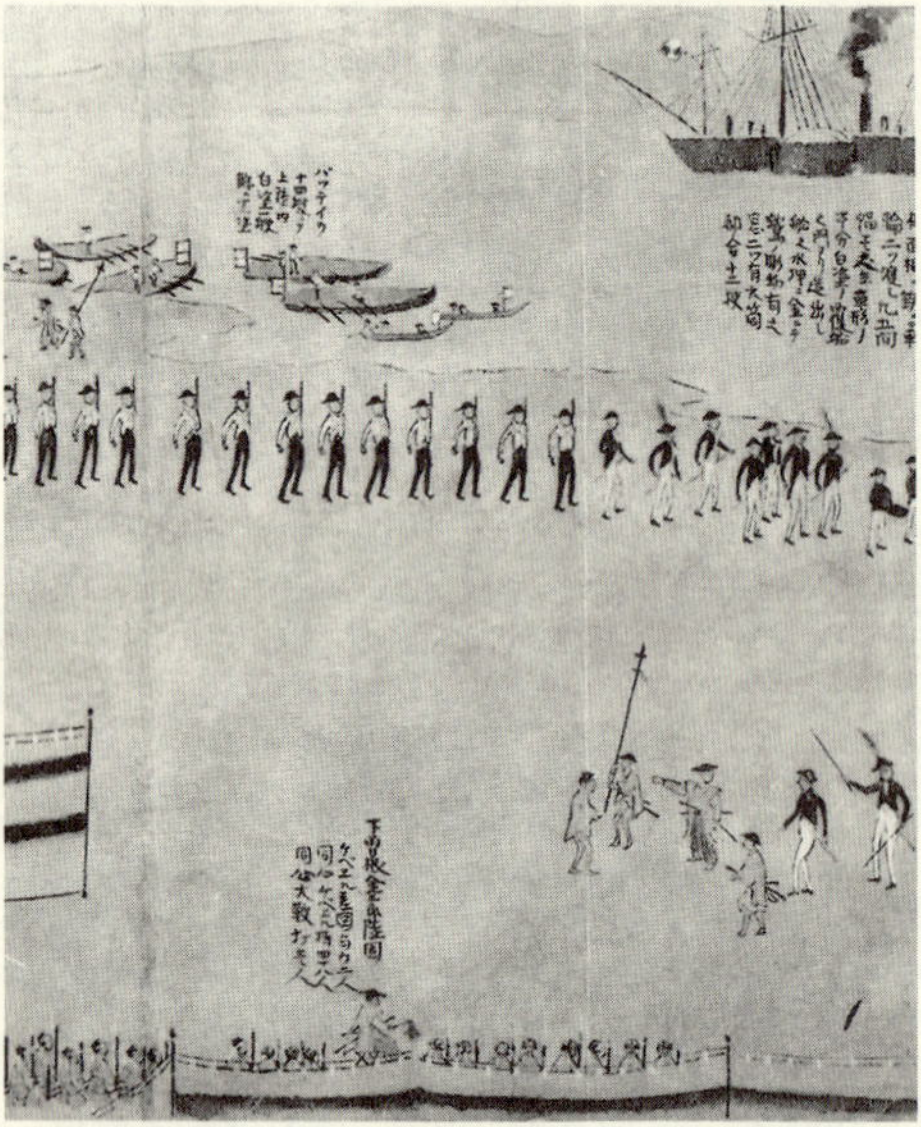

図1-2　浦賀奉行所ゲベール銃部隊．下方にゲベール銃部隊がならぶ．事書きは，「下曾根金三郎陸固，ケベエル差図与力二人，同心ケベエル持四十八人，同心太鼓打壱人」．その上，アメリカ側を先導する四人の中に中島三郎助がいる（『大日本古文書　幕末外国関係文書之一』挿絵「米国使節久里浜上陸之絵図」部分）．

迂回行進を終えたところに、次のような文章が記されている。

〔応接所の〕両側には、一隊の日本の護衛兵がかなりばらばらに群がっていた。彼らの服装はほかの兵士と異なり、右側の者は陣羽織を着て、幅広の飾り帯で腰のところを合わせ、灰色の長ズボンをはき、たっぷりとした幅広のズボンは膝のところで引きつめ、頭には白い布をターバンのように巻いていた。彼らは銃剣と火打石のついたマスケット銃で武装していた。……

前頁に掲げたのが、応接所の正面右側を警護する、白はちまき(「白いターバン」)を巻き、ペリーたちと同じ種類のゲベール銃、つまりマスケット銃で武装した一団を描いた日本側の絵である(図1-2)。絵の下端にみえるのがその一団である。太鼓打ちも見える。西洋銃陣であり、銃剣もつけて、ペリーたちが迂回してくる真正面に陣取っていた。指揮官は、下曾根金三郎、冒頭で紹介した久里浜で砲撃訓練をしていた浦賀の与力・同心の、五十余人の一隊であった。画家は、同心の一人で、絵の様子は、ペリー側の記述と正確に照応している。幕末外交史の基本史料『大日本古文書　幕末外国関係文書之二』(一九一〇年刊)の巻頭挿絵の一枚である。

ペリーは、西洋銃陣隊を、右のように詳しく描写したが、まさに、この久里浜こそが、一隊の「訓練場」だったことは知らなかったはずである。このように、幕府は無策ではなかったし、むしろ、国力に応じた周到な準備があったというべきである。図の右の下方、アメリカ兵の隊列を先導する武士のなかに、将来の洋式軍制改革の指導者、与力中島三郎助がいた。西洋銃陣隊の指揮官、下曾根も、やがて幕府軍制改革の中枢を担うことになる。

人道的介入　ペリーは、翌年一月中旬、七隻の艦隊で、今度ははじめから江戸湾内海、金沢沖の深い小湾、ペリーが命名した「アメリカ碇泊所」に入る。交渉と艦隊航進の示威《デモンストレーション》をくり返し、二月はじめ、日本側全権と正式交渉をはじめた。場所は横浜村である。

ペリーは、横浜応接所の前面に九隻の横隊をつくり、応接所を射程距離に入れた。「堂々たる兵力の示威に支持される」べきだというアメリカ国務省の「一般命令」に沿ったのである。

国務省は、ペリーに、日本に対して、モリソン号事件をとりあげて「驚愕し、遺憾としている旨」を述べ、漂流船員に対する「人道的待遇」を求め、あわせて通商関係を要求し、人道的待遇の保証すら得られないときには、「その態度を一変し」、断固として「応懲すべき旨」を通告することを命令していた。ペリーは、アメリカ国務省の命令を忠実に守って幕府に迫った。日本を「不仁の至り」と述べ、メキシコ戦争で首都を占領したことにすら言及した。

半未開国日本の、自国、他国の漂流船員を救わない「不仁の至り」を戦争で打ち懲らす、強国の「正義の戦争」、「人道的介入」の論理である。

日本全権の反論

林全権の応答は、冷静であり、ペリーをしのぐ長文であった。

「時機によれば戦争にも及びましょう」と切り出した林は、日本の政治は、「不仁」ではないし、人命を重んずることは、万国にも勝っている。それゆえ、三〇〇年に近い太平が続いていると述べ、「国政の善きをみるべきなり」と、ペリーの「不仁の国」という発言を批判する。日本近海で他国の船が難船した時は、薪水食料を供給している——モリソン号事件当時の文政異国船打払令は撤回され、天保薪水給与令に改められた経過までは説明していないのだが——。漂流民は、長崎へ護送し、オランダを通じてそれぞれの国へ返してきた

（これは、事実である）。非道の政治ということは一切ないと。薪水給与令と漂流船員救助の実施の二点を実例を示して説明する。

貴国にても「人命を重んずる」ということであれば、「さして累年の遺恨を結んでいるというのでもないところ、強いて戦争に及ばなければならないという程のこととも思われない。使節にても、とくとあい考えられて然るべき義と存じそうろう」と結んだ。

「累年の遺恨」ではない、という指摘がみごとにきいている。モリソン号事件は、一八三七年、一七年前の事件であった。たしかに累年の事件ではなかった。一七年前の事件を戦争の理由にするのはまったく強引である。林の応答は、人命保護を口実にする強国の「正義の武力行使」の正当性を問うものであろう。林全権は、「累年の遺恨」でないという弱点をみつけて、いっそう的確に、戦争こそが最大の非人道だということを、巧みに指摘したのである。

人道に対する罪が国際法で確定するのは、南京大虐殺やユダヤ人大虐殺《ホロコースト》などが問われた第二次世界大戦以後である。まして、近代の国際法は、主権国家という排他的なシステムの基盤に立っているために、内政不干渉の原則が支配的である。漂流船員を保護しないことを理由として一国に戦争を宣言することなど、たとえ一七年前のことでなくとも、近代国際法では認められていなかった。そして、実はアメリカ国務省も、そのことはよく分かっていた。

冒頭、モリソン号事件を無理に持ち出したのは、「人命を重んずる」という格好の大義名分につかうためであった。林全権が、漂流船員の「人命を重んずる」ために、「強いて戦争に及ぶ」のは無理であることを巧みに指摘し、熟慮をうながしたのに対して、「対話書」によれば、ペリーは、まったく答えることがなかった。そのために、交渉は、ただちにアメリカ国務省が重視していた通商の問題に移った。

幕府外交の評価

ペリーは、交易は「有無を通じ」、互いの「国益」にもなるのであって、決して「御不為」（不利益）にはならない、とせまった。林の応答は、ここでも巧みであった。「いかにも」と応ずる。交易は、「有無を通じ」て「国益」になるだろう。しかし、日本は、自国の産物で事足りている。使節（ペリー）の今度の渡来の主意は、「第一、人命を重んぜられ」、「船々救助」の「望み」がかなえば、使節の「眼目」は立つはずだ。交易は、「利益の論」であって、さして人命にかかわることではないはずである。「まず、眼目の趣意、あい立ちそうらえば、よろしき儀にはこれなくそうろうや」と、「人命保護」を強引にふりかざしたペリーの手法を逆手にとって、交易は、利益の論にすぎない、無理にでも実現しなければならない交渉テーマではないはずだ、と反論したのである。

「対話書」は、林の反論を聞いたペリーの様子を、「この時、ペルリ無言、よくしばらくあい考えおりそうろう体《てい》にて」と、特に記している。そして、ペリーは、「仰せの趣、ごもっともの儀に存じそうろう」、「もはやこの上、交易の儀はあい願い申すまじく」と、交易を交渉テーマからはずした。

当日の交渉の経過をみると、冒頭、初対面の短い挨拶で、林全権は、薪水食料と漂流民救助は、すでにそのように運用されており、石炭は以後、要請があれば供給してもよい、しかし、通商は一切聞き届けないと手短かに回答していた。つまり、漂流民救助は交渉の冒頭ですでに決着済みのテーマだったのであって、ペリーはただちに通商をテーマにすべきところであった。ところが、アメリカ国務省「一般命令」は、紹介したように、まず漂流民救助問題で強硬発言をし、その勢いで、通商も要求するようにと指示しており、ペリーは、本来「一般命令」は、原則的な命令であって、現場の臨機応変が求められるのだが、あえて命令を遵奉《じゅんぽう》したのであった。そのために、ペリーの強硬発言は、前に見たように、林全権に巧みにかわされ、逆手にさえとられてしまった。

ペリーが、通商の問題で譲歩したのには、欧米が、日本の約一〇倍の人口を擁する中国市場に関心を集めており、日本市場を重視していなかったという大きな背景がある。しかし、紹介したように、日本側の外交交渉の手ぎわも、重要な役割を果たしたのである。

私たちには、不平等条約の締結ということから、幕府側の軟弱、卑屈な外交という思いこみがないだろうか。「対話書」を一覧して感ずることのひとつは、強力な軍事力の背景という枠組みのもと、ペリー外交には柔軟性の欠けていることであり、一方、従来、たいへん低い評価しかされていなかったのだが、幕府役人の、軍事的にまったく劣勢な状況のなかでの、率直で巧みな外交である。

日米和親条約締結

日米和親条約、全一二条は、一八五四(嘉永七)年二月一〇日から三月三日まで、幕府全権使節とペリーとの、二〇日余り、四回の正式会談をへて結ばれる。条約交渉に入ってからは、軍事的な緊張も一気にゆるんだ。薪水食料・石炭その他の欠乏品の供給、漂流民の救助と保護、下田・箱館二港の開港、領事駐在、片務的最恵国待遇などを決める。欠乏品の供給や救助と保護、開港は、幕府全権も認めたように普遍的な道理のある条項であった。

問題点の一つは、領事駐在の箇条であった。欧米では、条文の文言そのものが現実の効力を厳格に規定するために、正本は一言語で作成されるのである。ところが、正本が日本文と英文で二通作成され、しかも日本文と英文には違いがあった。条約の第一一条、領事駐在の箇条は、日本文では、日米両国が認めれば領事を置くことができた。一方、英文では、どちらか一国が認めれば領事を置くことができるという文章であった。日本側は、英文との違いを、交渉当時は知らなかったのである。結局、日本側は、領事駐在を認めざるをえなかった。

第九条の片務的最恵国待遇は、ペリーが、「もっとも重要な条項」と評価した箇条である。欧米では、双務的な最恵国条約が一般的であることを、日本側は、知らなかったと思われる。

明白な、不平等条約であった。

条約に、このように軍事力で押しつけられた背景があったとしても、しかし、交渉の現場では軍事的圧力は弱まっていたのであり、次の一例のように、議論を尽くして日本側に有利に合意した条項があったことも、重要な事実である。

遊歩範囲の論争

和親条約の第五条は、アメリカ人の上陸を認め、下田から通行できる「遊歩」の範囲を「七里」と決めている。この遊歩の範囲をめぐって、日米の論争があった。ペリーは、当初、一〇里を要望し、日本側は、五、六里を主張。一日で往来できる距離という双方の合意によって七里でまとまった。一〇里だと伊豆半島なかばの伊東まで、五、六里は天城越《あまぎご》えまでである。江戸湾から一〇〇キロメートル以上隔たる下田では、その程度のちがいは大勢に影響ないのだが、幕府は、遊歩の範囲を限定することに全力をそそいだ。

幕府側が、したたかな交渉者の面目を発揮した一例は、箱館の遊歩の範囲についてである。遊歩範囲は、五里とされた。広大な後背地のある、ジブラルタルにたとえられた美しい港、箱館の範囲が、下田より狭かったのには理由がある。

ペリーは、箱館は広大だから、一〇里、あるいは下田と同じ七里を要求した。日本側は、交渉に応ぜず、直前の箱館航海でのペリーの約束違反をとがめる。視察だけの約束だったが、ペリーは、箱館に上陸すると、松前藩と条約の細則について交渉を行い、しかも、要求に応じな

図**1-3**　箱館湾のペリー艦隊．手前から二隻のアメリカの小型船，奥の二隻目が旗艦ポーハタン号．画家はハイネ（『ペリー提督日本遠征記』挿絵）．

ければ、航海経費「一万金」の賠償を林全権に要求するなどと脅していた（図1－3）。

下田での応接は、その一〇日後に行われた。幕府は、飛脚便で、いち早く「箱館対話書」（漢文を使用）を入手して、ペリーの約束違犯を追及した。ペリーは、役人が赴くのに五〇日はかかると聞かされていたので、幕府が「対話書」を事前に入手したことを信用できず、林全権から飛脚のシステムを説明された。ペリーは「困迫の様子にて、大息致し、笑うべき体にござそうろう」と、その様子が「対話書」に記されている。うろたえたペリーは、失態を、漢文通訳としてペリーに雇われていた中国人羅森の誤訳のせいにしようとしたと、これは日本側「対話書」とアメリカ人中国語通訳ウィリアムズの記録『ペリー日本遠征随行記』の双方に記されている。

まさにこの時に、林大学頭《だいがくのかみ》は、「一里位にて宜しくそうらわば、ただ今、さっそくあい決し申すべくそうろう」と切り出すのだった。こうして箱館の遊歩範囲は、下田より狭い、五里で決着した。和人も立ち入りを制限されていた蝦夷地奥への欧米人の侵入は抑止された。まったくペリー側から「堂々たる」とか、「謹厳な」と形容された林は、実はしたたかな交渉者であった。

外国人の国内通行権は、文明国どうしであれば、原則として自由通行である。しかし、幕府は、外国人の自由通行を認めないこと、そして通行範囲を狭めることに、全力を傾ける。これは、やがて、通商条約で、居留地貿易の規則と、外国人の遊歩範囲の限定があいまって、外国商人の国内市場への進出を阻み、日本の国内市場を防衛する重要な事柄に展開してゆく。日本の側から欧米人の、欧米相互では当然の権利を制限したのである。日米和親条約は、こうして、一カ月弱の交渉を経て、議論を尽くして結ばれた。日本にとって、やむをえず結んだ条約であったが、押しつけられたという側面だけで低く評価するのは、一面的である。

ロシアの来航

一八五三年七月に届いたオランダ別段風説書は、ペリー来航と同時に、ロシアが「日本海へ赴きそうろう用意」をととのえたと報ずる。ロシアは、ペリー日本遠征を知って準備に入った。日本をめぐる欧米列強の「対立と協調」の時代がはじまったのである。プチャーチン(一八〇四～八三)は、ペリー浦賀来航に遅れること一カ月半、七月中旬に、パルラダ号以下四隻で長崎に入った。ロシアとの交渉には、経験豊かな二人の幕臣、筒井政憲《まさのり》と川路聖謨《としあきら》が、ロシア応接掛としてあたった(図１－４)。

図**1-4**　1853年12月21日，ロシアと日本の最初の会見．右方，上手がプチャーチン使節．対面する左方，上手から，筒井政憲，川路聖謨．上方，二人の右が長崎奉行水野忠徳(「長崎西役所露国使節応接之絵図」，「対話」の図．『大日本古文書　幕末外国関係文書之三』)．

ロシア宰相ネッセルローデの書簡は、「当時、世界の色々に変化いたし」と、アメリカ大統領書翰と同様、一九世紀の世界の大変動を伝え、「両国境界の地を分明にいたさん」と国境交渉をもとめ、通商も要請した。その一方で、ネッセルローデは、「日本の国法」をまもると言明、プチャーチンもそれに従った。このために川路らは、ロシアを「穏やかなる国」と評価し、土地を接する隣国と位置づけて、「友好外交」の手法で、幕閣の指示である交渉引き延ばしにつとめた。

日本北方のカラフト(サハリン)と千島の国境は、確定されていなかった。国境交渉が、他の列強にはない、第一の交渉議題であった。たとえば、日本側の川路聖謨が、エトロフアイヌが「日本所属」だから、エトロフ島は日本領だと主張したのに対して、プチャーチンは、エトロフの北部のアイヌは「ロシア支配」だと主張する。ロシアは、エトロフ島の折半、カラフト島領有を、日本側は、カラフト島の南北分島、千島全島領有を主張して、双方ゆずらなかった。

北方先住少数民族・アイヌ民族

北海道とほぼ同じ面積の、広大なサハリン島全域は、北からニブフ民族、ウィルタ民族、サハリンアイヌ民族の生活領域であり、長大な千島列島全域も、北千島アイヌと南千島アイヌの生活領域であった。これらの北方少数民族は、オホーツク海や日本海(朝鮮では東海という)がとりまく資源によって狩猟、漁猟、採集、遊牧、交易を営み、集住を避けて散居し、しかも必要以上には獲らないという不文律をもっていた。

この地域にロシアが南下したのは一八世紀初頭である。はじめ、千島列島北端部のシュムシュ島で、一八世紀後半期にはウルップ島で、北千島アイヌと南千島アイヌがロシアと激しく戦い、ウルップ島からはロシア人が撤退した。こうして一七九九(寛政一一)年に、ロシアは、露米会社を設立、北千島列島、アリューシャン列島、アラスカへの植民をすすめ、少数諸民族に対しては併合政策に転じた。

幕府は、カラフト南端や千島列島南部のエトロフ島に和人経営の漁場をひろげ、一七八九(寛政元)年に道東で、アイヌ民族と和人のクナシリ・メナシの戦いがおこった。九九年、ロシアが露米会社を設立した同じ年に、東蝦夷地を仮直轄し、やがて蝦夷地全域を直轄支配してアイヌ民族に対する和風化政策をはじめるが、アイヌ民族の抵抗によって進展しなかった。

オホーツク海をとりまく一帯は、ニシン、サケ、マス、鹿、熊、昆布が豊富にとれた。和人の侵出がすすんだものの、なお沿岸部の漁業にとどまっていた。アイヌ民族は、松前藩や幕府、和人によって強力な圧迫を受けていたが、内陸部の狩猟や河川の漁業は、アイヌ民族の領域であったし、海岸部でも、「自分稼ぎ」という生活のための漁業を維持していた。こうして幕府が認めた「アイヌのことはアイヌしだい」という原則は、生きていた。

和人が、サハリン島をユーラシア大陸の半島ではなく、島であることを確認するのも、一九世紀初頭であり、欧米人が、これを知るのは、ようやく一九世紀後半に入るころである。東と西、北に区分されていた蝦夷地、アイヌモシリは、「人間の静かな大地」のままであった。右のように日露両国は国境交渉において、先住少数民族の所属を争いはじめる。そうして先住少数民族であるアイヌ民族の固有の生活領域や独自の文化を無視するのである。

「国の痛み」

通商をめぐる交渉を、「対話書」などからみてみよう。プチャーチンは、通商は、「国を富ます」のであって、「国を害する」ことはないと迫った。一方、川路は、「まず、我等、一言申し聞きたき儀これあり」と西洋との違いを指摘する。日本は、他国へ行けない、外国船を座して待つだけだ、そのため、「異国通商(貿易)は国の痛みに」なると反論する。そこで、プチャーチンは、交易は、その国の値安のものを他邦へ売って、他邦の値安のものを持ち帰って高く売ることであり、利益は少なくないと迫る。そして、カムチャツカに豊富な魚があるのに塩が不足していると例をあげるのだった。

川路は、プチャーチンの言い分には「道理がある」と認めながら、「さりながらまた、一事の物語これあり」と切りだして、前日、川路に贈られた高価な品は「〔川路の〕好みのもの」で、これを買うために「〔今着ている〕寒気を防ぐ衣」をとり替えてしまいかねない、と反論する。その時、旧暦の一二月、川路に贈られたのは、立派な卓上天文時計や黄ガラスの菓子入れなどであった(図1‐5)。なおも、プチャーチンは、ロシアの丈夫なガラスと日本の破れやすい紙の交換を例にあげて迫ったが、川路は、「これ一理とも申すべきか」と言っただけで、取り合わなかった。

プチャーチンの秘書として同席した文豪ゴンチャローフの『日本渡航記』によれば、闊達、陽気な川路は、立派な贈り物を例にあげて、「日本人は、何もかも渡して素っ裸になってしまうでしょう」とロシア側全員を笑わせ、自分も笑いながら交渉を打ち切って、「貴族らしく悠然と立ち上がった」。

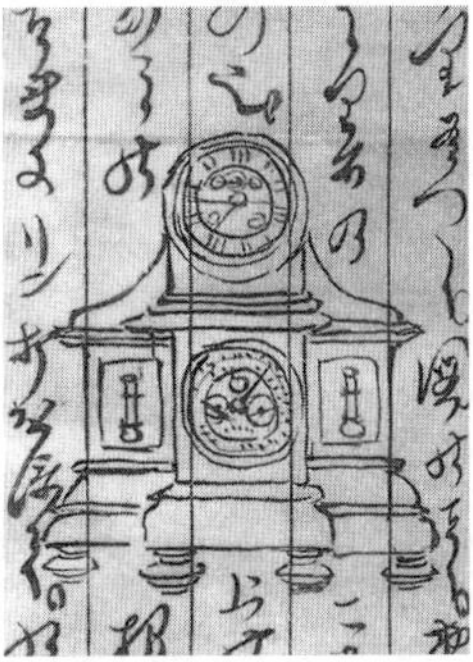

図1-5　日記にスケッチされた卓上天文時計(「川路聖謨自筆長崎日記」1853年12月21日条,『大日本古文書 幕末外国関係文書附録之一』).

印象深い場面であるが、川路の応答は、たしかな道理を述べているのである。貿易が国を富ますという説に、川路は同意しなかった。一方、値安のものを交換するのが利益だという説には、「道理」と賛意をあらわす。後者はプチャーチンの言うとおりである。だが、前者は、国と国の経済力の格差が大きいときに不用意に貿易関係に入ると、後発国の在来産業は深刻な打撃をうけてしまう。「通商は国の痛みに」なるのである。それは、貿易の主導権の有無や、経済発展の格差によるものであって、その点で、日本の海運力が遅れていることと、高価な品、工業製品を欧米がつくっていることは、川路が指摘しているとおりである。それにとどまらず、ロシアやアメリカこそ、当時、世界の工場、イギリスの自由貿易論に対して、発展途上の自国産業の育成のために保護貿易論で対抗していたのであり、通商が「国を害する」ことは、実は十分に知っていたはずなのである。

日露の外交は、領土問題も含んだきびしい、長期にわたる交渉となった。日本側代表の筒井政憲と川路聖謨は、いずれも開明的な能吏である。長老の筒井は、天保改革の際に町奉行を務め政争の修羅場もくぐった人物で、ペリー来航時、久里浜で西洋銃陣を指導していた下曾根金三郎の実父でもある。川路も、最下級の武士から登用され、幕府勘定方で民政や財務、司法の現場を踏んで勘定奉行にまで上りつめた人物であり、「老練」で知られていた。川路は、プチャーチンの不屈の精神に敬服したが、ロシア側も川路を評価した。ゴンチャローフは、「川路は非常に聡明であった。彼は私たち自身に反駁する巧妙な弁論をもって知性を閃《ひらめ》かせたものの、なおこの人物を尊敬しないわけにはいかなかった。彼の一言一句、一瞥、それに物腰までが――すべて良識と、機知と、炯眼《けいがん》と、練達を顕わしていた」と記した。

ただし、川路の「老練」がいつも成功したわけではない。川路は、隣国ロシアへの友好論を多用しながら、使節の「面《かお》をたてる」と引き延ばし、「もし、通商その他を他の国に許すときは、隣国のロシアへも許す」と何度もくり返した。プチャーチンは、機をとらえて「書面で渡してほしい」と要求する。川路は、無署名だったが、覚書を渡す窮地におちいり、事実上、ロシアに片務的最恵国待遇を許し、その後も覚書の趣旨を違えなかった。しかもこれは、日米和親条約締結より二カ月早いものだった。

交渉が続くうち、一八五四年二月、クリミア戦争にイギリスとフランスが参戦した。両敵国を避けたプチャーチンは沿海州のインペラトール湾へ入り、交渉は断続的に続く。

私掠船

極東の北方水域では、閏《うるう》七月に、英仏連合艦隊が、カムチャツカ半島東岸のペトロパブロフスクのロシア軍基地を攻撃し、一〇〇〇人ほどが上陸した。ペトロパブロフスクにはロシア太平洋艦隊の本拠地がおかれていた。その二日後、イギリス海軍の司令官、スターリング提督が長崎に来航する。スターリングは、幕府に書翰を送り、ロシア艦隊を滅ぼすために、軍艦の日本への寄港を求めた。

当時の海戦では、戦艦どうしの海戦が行われるが、それと同じくらい、敵国商船の捕獲も重要とされた。戦艦による敵国商船捕獲は、現代の戦争でも「海上捕獲」とよばれて行われている。しかも、当時は、「私掠船《しりゃくせん》」とよばれ、「捕獲証書」をあたえられた軽武装の商船も捕獲を行った。くわえて「捕獲証書」をあたえられた第三国の軽武装の商船が捕獲を行ってもよかった。しかも、捕獲品のすべてが、水兵や船員たち全員の取り分になった。このように、一九世紀なかごろまでの欧米の海戦は、海賊同然の「野蛮な戦い」であった。

海賊同然の私掠船から自国の商船を保護することは、大英帝国の海軍にとっても、あまりに負担が重いものになっていた。このため、クリミア戦争で、英仏両国は、「中立国への布告」を出して、両国が私掠船をやめると宣言したのである。この英仏の私掠船廃止布告は、クリミア戦争後のパリ会議で認められ、海戦の文明化をみちびくのだが、この布告は、江戸へも送られた。ただし、ロシアは、同様の宣言をしなかったので、ロシアによる私掠船の危険は続いたのである。もちろん、軍艦による捕獲は、以前と変わりなく継続されていた。

イギリスは、中国貿易でアヘン密売などによって巨利を得ていた。この商船団をロシア側の「海上捕獲」から守るために、イギリス艦隊は、北方水域周辺に展開するロシアの太平洋艦隊を殲滅《せんめつ》する必要があったのである。イギリス艦隊は、ロシアの軍艦と戦うために、中国各地の港から、日本北方水域に展開し、中立国同様の位置にあった日本への寄港を求めた。戦時国際法は、交戦国の軍艦が中立国へ寄港することを、さまざまの制限付きであるが、認めていた。

当時、世界最強国は、ヴィクトリア女王時代中期に最盛期をむかえた大英帝国であった。オランダから、侵略的性格を忠告されていた、そのイギリス艦隊の来航である。幕府の最も重要な外交であった。このイギリス外交を担当した長崎奉行水野忠徳《ただのり》は、幕臣の俊才の一人で、「持重」（慎重）という定評のある人物だった。

クリミア戦争と日本

スターリング提督の書翰は、ロシアと戦うために、日本への入港を求めると明言していた。すでに、イギリスの外交史家などが指摘しているように、この書翰のオランダ語からの日本語への重訳は、書翰後半の、日本への入港を求めるところで、中立国への一時寄港を求めるという、本来の趣旨が明快ではなかった。つまり日本語訳文では、「この度の一件〔クリミア戦争でロシアと戦うので〕、一身の者〔イギリス海軍〕まかり出〔寄港〕そうろう儀、ご免許ござそうろうよう」と、戦争のために一時的にではなく、一般的な開港を求めたともとれるように訳されていた。イギリスや日本の外交史家は、この誤訳を受けた水野が、「勇み足」をして、必要のない一般的条約を結んでしまったと酷評している。しかし、これは幕府外交が拙劣だという、俗説に引きずられた誤った見解である。

スターリング書翰を受けた長崎奉行水野の対応は、慎重、かつ熟慮されたものであった。水野は、ただちに幕府老中に「伺書《うかがいしょ》」を送り、意見具申をしている。ペリー来航のときにも、浦賀奉行が「伺書」で、意見具申をしていたが、それが、当時の幕府政治の通例であった。現場役人の意見は、幕府政治では、十分に尊重されるべきものだった。幕府のこのような統合システムが近年、再評価されてきている。

水野は、オランダ別段風説書により、クリミア戦争が起こっていることを確かめた上で、ロシアと日本がすでに友好的な「懇切の応接」をしているので、その敵国のイギリスを「近づけ」ては、ロシアへの信義を欠く、できれば拒否したい、しかし、「当節のご時勢、いずれの国にても、願意の趣、手強くお拒み成られがたし」と判断する。さらに、ロシアと戦うためにイギリスの軍艦が日本近海を行き来することはあるだろうが、そのために「所々、不定、随意に、寄港」を日本に要求するとは、「不審」であり、再度、書簡の文意不明な点を聞きただして、入港の願いにまちがいなければ、箱館はアメリカにも許可しているので、長崎と二港を許して談判をつける。老中からの命令が戻ってくるまでの間、取り扱いは、すべてロシア来航の例に準ずると、水野はこのような意見であった。ロシアとの関係や、日本の国力などにも配慮した慎重な外交意見の具申である。

老中の命令は、さらに慎重であった。ロシアに限らず、外国の戦争のために申し立てたことを認めては、「怨み」もない国に信義を失うので、「恨み」を受けるということを十分に説明し、一般の薪水食料や船の修理のためということであれば、長崎と箱館への入港を許す。やむをえなければ、下田も許してもよい。戦争のためという書面は、書面を取りかえるか、訂正して差しださせるように。英文原本は返却せよ、という命令であった。

付属文書には、かねて「がさつの聞こえ」のあるイギリスとのことなので、評定所において、通例の老中、若年寄、三奉行のほか、外国にかかわる浦賀奉行、林大学頭、大目付、海防掛、下田奉行、目付を入れて、「再応、厚く評議」したと、特に記されている。江戸城の評定所で、幕府の要路と関係役人が会議（「評議」）のうえ決定する仕組みは、前に紹介したペリー来航時とおなじであった。

こうした慎重な外交のベースになっているのは、水野が伺書で述べている「当節のご時勢、いずれの国にても、願意の趣、手強くお拒み成られがたし」という国際情勢についての意見なのである。クリミア戦争という、ヨーロッパ列強相互が戦うという時勢のなかで、日本はどの列強にも開港の要求を拒否できないという判断である。

水野は、スターリングとの応接では、「書翰の意味、大要あい分かりおりそうらえども、なおまた面語に委細承りたく〔会談で詳しく聞きたい〕」と述べて、「意味齟齬《そご》」の箇所について、談判をくり返すのであった。日英協約では、長崎と箱館の二港開港で協約が締結された。クリミア戦争のなかで、幕府は、右のように「怨みもない国に信義を失う」ことを避けたのであり、これは欧米列強に対する、意図された「等距離外交」といってよいであろう。外交というシステムが、列強の大戦争という情勢のなかで、日本にとって積極的な意味をもち始めたのである。

日露和親条約

沿海州にいたプチャーチンは、日英協約締結後の一八五四年九月に大坂へ来航、下田へまわり、日本全権と、長崎以来中断されていた条約交渉をすすめた。一二月中旬に、川路は、下田のアメリカ船から、英仏と露の「大合戦」で、「魯戎《ロシア》大勝利」というペトロパブロフスクの戦いの情報を得る。川路は、「布恬廷《プチャーチン》の心底、恐るべし」と言い、ロシアの外交は、「時計その他の巧みと同様、此方にて巧み、なかなか及ぶべきにあらず」、日本はとても及ばない、「将来、深く、心痛」と、衝撃をうけた。

その日の交渉で、筒井らは、「条約とりまとめたく存ずる事にそうろう」と、妥結を要請する。国境問題は、千島列島をエトロフとウルップで区切り、カラフトは「界を分かたず」でまとまってゆく。日本側は、「分かたず」では、将来、現状の変更もありうる雑居であり、国力の弱い日本に不利と判断して、「分かちがたし」と現状維持的な雑居にすること、あるいは、サハリンアイヌの生活範囲を日本領とすることを求めたが、ロシアが拒否した。一方、ロシアも、イギリスと対決するために日本との通商関係を切望しており、領土での譲歩もほのめかしたが、合意をみなかった。日本側は、アメリカに認めたほどは認めよう、というところで防戦したのであった。長崎、下田、箱館の三港開港で、領事裁判権が双務的であったなどの違いはあったが、ほぼ、日米和親条約に準じた日露和親条約九カ条が、一二月下旬に結ばれた。

その二カ月後の一八五五(安政二)年二月下旬に、幕府は、蝦夷地全島の直轄(一七九九(寛政一二)年にも一度直轄をしたので、第二次蝦夷地直轄と呼ばれる)を決定する。ロシアおよび列強侵出への防止策を講じたのである。幕府は、領土交渉で利用したアイヌ民族に対する和風化政策をすすめるのであった。ただし、幕府のこの政策は、アイヌ民族の抵抗が強く、一部を除いてほとんどすすまなかった。

等距離外交

一八五五年春、北氷洋が解氷期をむかえると、前年夏に、ペトロパブロフスクの戦いで敗北した英仏艦隊が、中国の各港から、つぎつぎに北上をはじめた。エンカウンター、バラクータ、シビル、ホーネット、ビッターン、スパルタン、コンスタンチンなどの巨艦が、オホーツク海、カムチャツカ半島、千島列島方面、サハリン島、アムール川沿岸方面へ、ロシア軍艦を撃滅するために巡航する。英仏艦隊は、北方水域の拠点となる箱館港に頻繁に入港をくり返し、事実上の軍事基地としたが、交戦国による事実上の軍事基地化は、近代国際法の戦時中立の法に違反する作戦であった。

この三月下旬、長崎のオランダ商館長クルチウスから異例の「非常風説」がもたらされる。フランスの大型軍艦コンスタンチンから、クルチウスが入手したクリミア戦争の「急報」であった。一一カ月余におよぶセバストポリの攻防戦の開始、セバストポリ要塞の六九万五〇〇〇のロシア軍が、三〇〇〇の大砲を備え、六〇〇万発、三〇〇〇万ポンドの火薬を消費し、二万人の死傷者をだしていることなど、すさまじい大戦争の詳報であった。記されている数値は正確であった。この「非常風説」では、フランス海軍自身からの情報として、ペトロパブロフスクの戦いで、ロシア「大軍」のための「英仏退却」も、正確に報ぜられた。

長崎奉行が、長崎に入港していたコンスタンチン号のフランスインドシナ艦隊司令官モーラベルに条約締結の談判を提案するのは、四月中旬である。モーラベルは、「王命を受け」ていないと拒否する。モーラベルとは箱館と長崎の二港入港で当面の合意ができていたので、長崎奉行は、「王命を受け」ないでの条約締結をあえて求めるが、モーラベルはこれも断る。長崎奉行は、条約の「下書」を見せて、三度、せまったが、やはり拒否された。長崎奉行が「下書」は、「イギリスの例に照らし認《したた》め」たと言明したように、日本側の草案は、昨夏に結ばれた日英協約と同じ内容で、日英協約に準じた条約を結ぶことを日本側がつよく求めたのであった。こうして、この一八五五（安政二）年四月には、幕府にとって和親条約の意味が、はっきりと変化したのである。

前年一八五四年一〇月、日本の領域でロシアとイギリスの戦いがはじまった場合にどう対処するかという老中の諮問に、ロシア応接掛、筒井と川路は「力争は、あい成りがたくそうろうあいだ、魯夷、英夷とも、内海へ乗り込み、戦争に及びそうろう儀を差し止めそうろう手段はこれなし」と、幕府には日本の内海でのロシアとイギリスの海戦を止める軍事力のないことをはっきりと認め、「彼ら次第にいたし置き（戦わせておく）」と上申した。これも、幕府が自らを「弱国」と認めた言葉として、評価できるであろう。

一八五五年の春、カラフト島の対岸のデカストリ湾で、イギリス海軍に包囲されたロシア艦隊は、英仏には未知だった間宮海峡を伝って、北へ脱出する。スターリングは、作戦を拙劣だとして、本国の世論に叩かれ、翌年に解任される。クリミア戦争で、東欧のロシア軍は敗北したが、ロシア太平洋艦隊は、撃滅されなかった。クリミア戦争の敗北後、黒海への出口を止められたロシアは、太平洋方面への進出にあらためて力を注ぐ。こうして、クリミア戦争後も、オホーツク海のロシアと、東シナ海のイギリス、フランスは、拮抗しあうのであった。

地勢の条件

どの列強とも、一般的な条約を結んで、戦争に巻き込まれることを避け、等距離外交をするという路線を、幕府はとった。これは、一九世紀の中頃の外交選択として大きな意味をもつ。一九世紀前半にヨーロッパで独立をはたしたギリシャやベルギーをみても分かるように、イギリス、フランス、ロシアという列強の勢力均衡が、小国日本の独立のためには、必要だった。

日本への列強の外圧は、中国にくらべてかなり弱かった。中国は、日本の約一〇倍の人口があり、二十数倍の国土がある。列強の関心は経済市場としての価値が日本よりはるかに大きい中国に集中していた。しかも、列強の経済進出に対する中国の在来産業の抵抗力はつよく、大英帝国の第一の商品である木綿の売り込みにすら成功していなかった。こうしてイギリスは巨額の貿易赤字を累積させたためにアヘン戦争を始めることになる。

一方、海洋国家である日本は、列強にとって極東の東端にある列島であり、遠隔である上に、小さく、市場としては期待されていなかった。巨大な経済市場である中国(大陸国家)の東方の長い列島弧という地勢に加えて、この列島弧が、オホーツク海側のロシア、東シナ海側のイギリス・フランス、太平洋側のアメリカの、それぞれの橋頭堡《きょうとうほ》の位置にあたり、そのために、日本は、列強の勢力均衡という地勢上の固有の条件を備えていた。

3 二つの開国論

開明派の登場

ペリー来航の一八五三(嘉永六)年には、伊豆韮山《にらやま》代官の洋学者江川太郎左衛門のもとで、江戸湾の沖合に七つの台場の築造がはじまり、翌五四年、うち五つが完成した。七五万両の築造費が投入され、西洋式を取り入れたリーニー式、五稜形で、一つに大砲二〇、三〇をそなえ、小型要塞の規模があった。

一八五五(安政二)年には、長崎の海軍伝習所が開設される。オランダ海軍士官が指導にあたり、伝習生は、幕臣だけでなく、諸藩の、特に西南雄藩の武士が多く参加した。幕臣では、勝海舟や、中島三郎助が加わる。その翌五六年、洋学研究所というべき蕃書調所《ばんしょしらべしょ》も開かれ、やがて開成所と改名される。そこでは西洋書の翻訳出版にあたるが、特に中国から輸入した漢訳の翻刻版の刊行はめざましかった。『海国図志』や『万国公法』、『聯邦《れんぽう》志略』(アメリカ合衆国地理書)など、幕末日本に大きな影響をあたえる中国の漢訳本も翻刻、刊行される。

一八五五年、開明的な老中であった阿部正弘を継いで、「蘭癖《らんぺき》」と評されるほど蘭学に傾倒した堀田《ほった》正睦《まさよし》が老中首座につく。貿易「差し許し」という事態にそなえたのである。

ペリー来航前からすでに始まっていた佐賀藩の大砲製造方や薩摩藩の集成館の洋式軍事工場、紡織工場、ガラス工場、前述した江川代官によって開かれた韮山の反射炉(精錬炉の一種)など、各地の西洋の軍事、民需技術の導入の動き、さらに後述するような、江戸時代後期から盛んになる諸藩の国産方や産物方などの藩営交易をあげることもできるが、そうした基盤の上で、開国、そして貿易へという動きが登場してくる。

五六年、幕府は、貿易が「富国強兵の基本」であるか、という諮問を行う。日露外交の老全権、筒井政憲が自由貿易を受けいれる先駆的な献策をするのが同年後半である。すでに、この頃には、薩摩藩の島津斉彬《なりあきら》も、はっきりと積極開国論に変わっていた。やがて、幕府目付の能吏、岩瀬忠震《ただなり》らが民間貿易による富国論、つまり積極開国論を主張する。これに対して、幕府実務役人の中心となっていた海防掛の勘定奉行川路聖謨たちは、「やむをえず開国」という、当時の用語で「穏便策」、すなわち消極的開国論をとなえた。

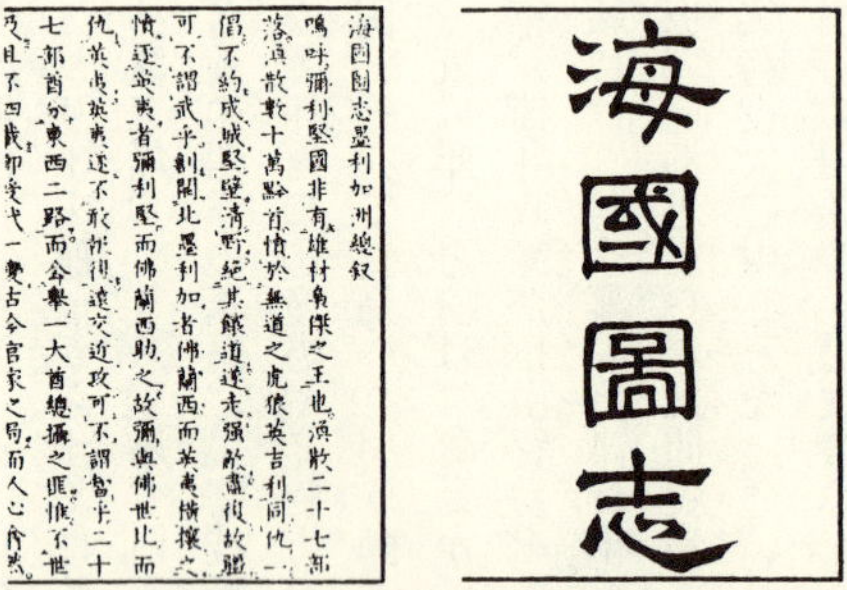

図1-6　『海国図志』の表紙と米国編，冒頭部分．林則徐が依頼，魏源編纂．60巻本は1847年に刊行．幕府も60巻の翻刻版を作成．

幕府が外交方針を決めるにあたっては、ペリーとの外交の全権林大学頭がペリー来航の直前に編纂を終えていた江戸時代対外関係の厖大な史料集である『通航一覧』(三四五巻)、そして、オランダ別段風説書や蕃書調所が収集し翻刻した西洋書、その後に江戸城に集積された「対話書」などの外交文書、これらが重要である。たとえば全六〇巻という大部の『海国図志』も、実に一二部が評定所などに備えられていたといわれている(図1-6)。こうした情報にも裏づけられた開国策が、積極、消極のちがいはありながら、優勢になってゆくのである。

ハリス来日

日米和親条約の、「誤訳」を含んでいた領事駐在のとり決めによって、ハリス(一八〇四～七八)が一八五六(安政三)年夏、アメリカ総領事として下田に着任する。ハリスは、ヒュースケンを伴っただけだったが、強硬な外交を展開し、柿崎村の玉泉寺《ぎょくせんじ》に領事旗を掲げた。ハリスの日記『日本滞在記』に、「領事旗をあげる――厳粛な反省――変化の前兆――疑いもなく、新しい時代がはじまる。あえて問う――日本の真の幸福になるだろうか」と、意味深長な

「ハリスの反省」を記すのである。やがて下田奉行井上清直《きよなお》らと不平等な片務的領事裁判権を含む開港の細則、下田条約を結ぶ。

ハリスは、外交官の江戸駐在と通商を要求するために、将軍との謁見《えっけん》を、外交官一般の国際慣行だとして要求し、拒否すれば、軍艦で江戸へ直行すると迫る。下田奉行井上清直は、のちにハリスに外交能力をたかく評価される武士であるが、ハリスの国際慣行の主張に対して、ことごとく「日本には日本の制度これあり」と反論をつづけた。ハリスは、五七年春に本格的に開戦した、イギリス・フランス連合軍と中国とのアロー戦争を、日本との交渉を開く圧力として利用する。それだけではなく、その後に起きたムガール皇帝も参加したイギリスに対するインド大反乱（セポイの乱）も、「一揆追討の事、おわりそうらわば、その軍卒など、お国（日本）へ転向」と、これも圧力に使うのだった。一方、井上清直は、そのたびに、ハリスから、イギリスの兵力、司令官の名前、戦況、地理などをくわしく情報収集する。アロー戦争にしろ、インド大反乱にしろ、日本への圧力という面がある一方、両者とも長期化し、イギリスにとって重い足枷《あしかせ》になってもいた。

幕府が、アロー戦争で、アヘン戦争につづく再度の「大国」中国の敗北に危機感を抱いたのは事実であり、幕府は、江戸での将軍謁見や交渉を、「万国の常例」として認めるのである。将軍家定《いえさだ》との謁見が、一八五七年一〇月に行われた。ついで、老中首座堀田正睦ら幕府首脳との面談で、ハリスは、予告していた「日本の重大事件」について、二時間の大演説をする。

日本の重大事件

大演説の構成は、「対話書」記録によれば、次のようである。

日本を「親友」とおもっているアメリカは、「他方に所領を得」ることを禁じており、「干戈《かんか》」(戦争)で領土を獲得したことはない。一九世紀に入ってから、西洋は「種々変化」し、蒸気船があらわれ、貿易で繁栄し、西洋各国は、「世界一統」になった。ハリスには、「二つの願い」があり、外交官の首府江戸への駐在、そして自由貿易である、と。

次いで、「日本の危難」について述べる。イギリスは、スターリングが結んだ日英協約に不満であり、イギリスの脅威が近づいている。ロシアには、サハリンと蝦夷地への領土的野心がある。今、アロー戦争を戦っているイギリス・フランスの脅威が日本にせまっており、アヘン貿易をするイギリスの害悪もある。いずれの戦争にも荷担しなかったアメリカ大統領は、「日本のために、アヘンを戦争より危ぶ」んでいるとして、イギリスの脅威とアメリカの友好、平和を強調する。

アメリカとの条約があれば、心配はないし、貿易は利益になると断ずる。欧州列強と「確執」(紛争)が起これば、アメリカ大統領が仲立ちになる。くわえて、「軍船、蒸気船その他何様の軍器にても」また海軍・陸軍の「士官歩兵」幾百人でも「御用」であれば差しだそうと、アメリカの友好外交の方針を述べる。そして最後に、現在のアロー戦争が「あい止みそうらわば」、日本に不満なイギリス軍は、「直ぐさま」来るはずである。通商条約をさっそく結ぶべきだ、と説く。

このハリスの「日本の重大事件」の申し立ては、「対話書」に一七三カ条にまとめられ、老中から、評定所一座以下、海防掛の勘定奉行、大目付・目付などに対して評議のうえ意見を上申するように命じられた。ここで、大きく分けると、二つの対立する意見が出された。

二つの意見　すでに紹介した積極開国論と消極開国論である。積極開国論は、目付の岩瀬忠震らから出されていた。神奈川・横浜を進んで開港し、大坂に在る天下の利権を「お膝元」(江戸)へ取り返す、「中興一新の事業」にし、幕府の富国強兵をなし遂げようという意見であった。西洋の「新奇発明の品を、簡単に学ぶことができる」とも期待した。この斬新な開明論には、従来から、注目があつまっている。

これに対して、川路らの勘定奉行たちは、拒絶すると「戦争の端」になるから、「当今の形勢、とにかく穏便の処置」しかない、という意見書を出した。平凡な俗論、とみなされてきたのだが、そうであろうか。

勘定奉行たちは翌日、長大な意見書を追加で提出した。オランダ別段風説書や蕃書調所翻刻の漢訳西洋書、集積された「対話書」などによって、ハリスの大演説を詳細に点検したものである。「他方に所領を得そうろう義は、禁じ」と、アメリカは非侵略国だとハリスが説明した箇条については、オランダ別段風説書で検討し、メキシコ戦争でアメリカが「カリフォルニーを掠取」したこと、その後、賠償金のかわりに「メシルラタル」(ニューメキシコ)を奪ったという記事から、事実でないことを指摘している。

ハリスが、イギリスによる中国へのアヘン売り込みを何箇条にもわたって批判し、アメリカ大統領は、「日本のために、アヘンを戦争より危ぶみおり」とアメリカ友好論を述べたところについても、勘定奉行は、北京で漢訳された『海国図志』の記事のなかから、「アメリカがトルコのアヘン、毎年、千余箱を中国へ運んでいる」という記事を見いだして、ハリスの偽言を証明する。アメリカ商人が、広東の下流、伶汀《リンティン》島付近の武装船、躉《とん》船にトルコアヘンを貯蔵して大規模に密売したことは、『海国図志』に正確に記述されていた。

領事が駐在すれば大丈夫というハリスの説明にも、「近き七、八十年以来、ヨーロッパ州は、安き日」もない、「[領事は]さまで用立ちそうろうものとはあい聞きもうさず」と、戦乱をくり返すヨーロッパ史を概観して批判を加える。この他、ハリス演説は、全体を詳細に検討され、典拠の「資料編」を添えて上申された。勘定奉行は、作成した長文の抜粋に巻数などを記していないのだが、アメリカがアヘンを運んでいるというその記事の原文は、『海国図志』一二〇巻本の第八三巻、「華事夷言録要」(中国関係、欧米人論説の抜粋)の二〇段落目、英人デイビスの著書『中国人』の抄録として、勘定奉行の抜粋と一字一句の違いもなく見ることができる。

一方、目付らの幕府の富国強兵をめざす積極開国論の問題点の第一は、ハリスの演説に対して協調的にすぎることである。アメリカ大統領が日本のために「深く心配している」というハリスの言を、「外国関係のことは、不都合がないよう取り扱おう、といっている、天に誓って言っているのだから虚談《うそ》ではないだろう、たとえ虚談でもこちらから義理をもってせまれば心あるものは」などと述べる。楽観にすぎる欧米観が目立つのである。なお、ハリスの『日本滞在記』に、ハリス自身による演説の要約が記されている。幕府側の「対話書」と正確に照応するが、ただ、ハリスは、アメリカ平和論とイギリス脅威論を、要約ではすべて消去していた。欧米の常識に反した説明で、半未開国日本むけの交渉テクニックだったからである。勘定奉行たちのアメリカ平和論に対する批判的点検は確かであった。

衆議と漸進

二つの意見は、外交だけではなく、政治の面でも対立した。積極開国派は、開国すべきことは、世界の形勢を分かっている者だけがかかわることだとして、「対話書」は、大名へは示すだけにして、老中で決定してしまうことを主張した。

一方、老中は、勘定奉行に、真偽をハリスと議論すべきか、と諮問した。消極開国派の勘定奉行は、演説の偽りは、「含んで」おいて交渉に臨めばよい、やむをえずハリスの要求を容れるということであるから、事前に大名全員の意見を聞いて衆議で決定するように上申する。

その翌日、老中は、勘定奉行の意見をうけて大名に「対話書」を示しての諮問を始めるのである。非常の時であり、「中興の大業を立てて、国威を挽回する」、しかし、「人心折り合い」が重要であり、ハリスの要求は、「成るべきだけ、とり縮める〔できるだけ退ける〕」と説明し、大名たちの意見を諮問した。大筋では、勘定奉行の慎重論を容れ、しかし、積極開国論も棄てなかった。

こうして、ハリスとの条約交渉には、積極開国論の岩瀬忠震と、川路聖謨の実弟で中立派の井上清直の二人があたることになった。一三回の交渉で議論を尽くして、一八五七(安政五)年一二月、日米修好通商条約草案が合意された。自由貿易、神奈川・長崎・箱館・新潟・兵庫の開港、江戸・大坂の開市、アメリカ人遊歩範囲(一〇里以内)の限定、協定関税、アヘン輸入禁止などの合意であった。

重要なのは、片務的最恵国条項と領事裁判権が盛り込まれたことである。近代国家は、排他的な法権・裁判権をもち、関税自主権をもつのが原則だが、通商条約で日本は、この二つの権利を欠いていた。まさに不平等条約である。しかし、日本では、外国商人が居留地以外での商行為を禁止されたことが重要であった。

外国人遊歩範囲制限の意義

片務的領事裁判権の問題も、実は、もし外国人に幕府の司法を適用するという事態になれば、欧米からの日本の司法に対する干渉がはるかに激烈であったことが容易に予想され、くわえて幕府の側もこの条項を望んでいたという問題があり、主権国家の尺度からだけでは割りきれない問題をはらんでいた。また、協定関税ではあったが、中国の天津条約では、輸入税が、従量税で原価の五パーセント、これに対して日米条約は、大多数の商品について、従価税で二〇パーセントと、価格高騰に対応する税法で、しかも税額が重いことも、六六年の改税約書までつづく、日本側に有利な点であった。従量税は重さに、従価税は価格に関税がかかるが、従量税は、貿易開始後に起こるインフレーションに対応できなかった。従価税による高関税で、日本の劣勢な在来産業は、ある程度、保護されたのである。

外国人遊歩の範囲が、一〇里以内になったこと、これは、日米和親条約から続いた外国人に対する制限である。日本側全権が再度、ハリスを閉口させるほど頑強に主張した結果である。日米修好通商条約の前に結ばれた中国の天津条約で、外国人の国内自由通商権が認められたのとは大きくちがう、日本側に有利な点であり、のちに見るように、貿易開始早々から日本の国内市場をまもる、重要な役割を果たすことになる。大局的に見れば、当初、重かった関税、そして遊歩範囲の制限という、条約の日本に有利な点は、日本が国家の独立を守り、江戸時代後期にはじまっていた自立的な資本主義の形成を持続する条件の一つになった。

第2章　尊攘・討幕の時代

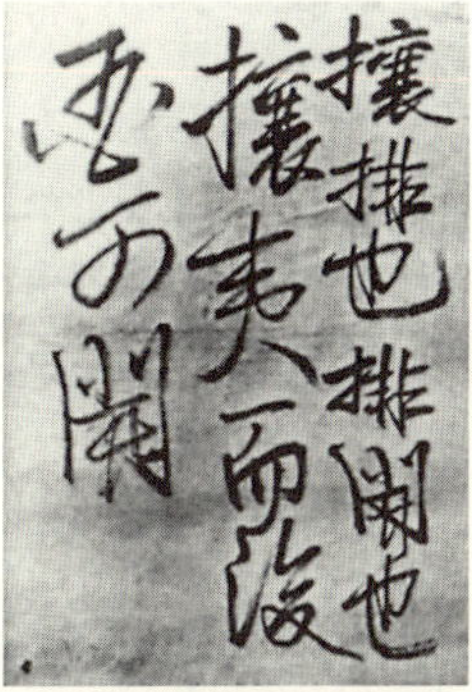

長州藩の指導者周布政之助の攘夷思想．「攘夷して後は，国，開くべし」（周布の書．『周布政之助伝』（上）東京大学出版会）．

1　浮上する孝明天皇

大名と朝廷への条約諮問

日米修好通商条約締結に直面して、幕府は、前章に見たように、大名への諮問をくり返した。条約をやむをえないと認める一八五七(安政四)年一一月初め、交渉に入ることを決める同月中旬、条約草案が出てくる一二月中旬、そして条約内容が固まる年末には将軍臨席で、老中首座の堀田正睦《まさよし》が登城した大名に経過を説明して意見を求める。実に四度にわたって大名に対する諮問がくり返された。勘定奉行は、次のように提案していた。

数十艘の軍艦が来てから拒絶すれば、戦争になって「万民の生命」にかかわる。戦争を避けるために条約をまげて許す。かつてない「制度のご変革」であり、事前に大名に諮問する必要がある。「衆心一致」のためなのだ。「戦争の論」も出るだろうが、「衆議」で決することを恐れることはない。諮問の「前後」こそが「人心の向背」にかかわる、と。

勘定奉行は、通商条約締結という制度の大変革を目前にして、「衆心一致」、「列侯諸藩に至るまで、人心折り合い」のために、ついで朝廷への諮問も求めた。そのために堀田老中自ら上京の途についた。

天保の改革から雄藩連合へ

幕府が大名との協調を重視するようになった背景には、日本列島の経済の成熟がある。

一九世紀に入るころ、江戸日本では、商品経済が進展し、国内市場が形成されはじめていた。それまでの江戸、大坂、京都の三都を中心とする遠隔地間の市場から、城下町など無数の地方都市を核とする、きめ細かい網の目のような市場へと経済構造が進化していた。大名も、村役人や在方の大商人などを組織して産物交易を展開する。大坂を通らないで江戸に「直《じ》き積み」(直送)をした姫路藩の木綿専売がよく知られた事例である。薩摩藩は、はるかに大胆な交易を行っていた。琉球を隠《かく》れ蓑《みの》とする清国からの唐物《からもの》の密輸入、蝦夷地の昆布の清国への密輸出など、蝦夷地から日本海、新潟や富山をへて薩摩から琉球、そして中国へとつながる密貿易ルートをつくりあげて、藩財政収入の半ば以上を占めたと推定される利益をあげていた。密貿易のスケールの大きさでも、薩摩藩はまさしく雄藩の巨頭であった。

さかのぼると、阿部正弘《まさひろ》が老中首座に就く前に、幕府の天保改革が失敗していた。天保改革の雄藩に対する政策として、江戸と大坂の大名領や旗本領を幕府直轄にする上知令《あげちれい》と西国諸藩専売の取締令があった。大名や旗本を他へ移して、あるいは、大名の産物政策を禁止するなどの犠牲によって、幕府の支配と防衛の強化を行おうとしたものである。薩摩藩の密貿易は、新潟湊などで、幕府に弾圧された。しかし、大名は、すでに地域経済を成熟させており、改革は、大名の反抗が一因となって失敗した。その後に登場した阿部老中が、大名との協調路線、特に薩摩藩など雄藩と連合する政治をすすめたのは必然だった。こうして、雄藩は、ふたたび力強く台頭する。

阿部老中は人材もあつめた。前章で紹介したように、「老練」な川路聖謨《としあきら》や「持重」の水野忠徳《ただのり》をはじめ、多彩な能吏が下級幕臣から抜擢される。またこのころ、老中と海防掛のあいだで、率直な議論がかわされたという。阿部、堀田の幕閣は、開明的な政権であった。

大名の世論

ペリー来航時にも阿部老中は、大名に外交についての意見を諮問していた。大名の意向は強硬打ち払いから積極通商まで、まさに多様であった。その後、国内で大名の産物交易が進展していたということもあって、通商を認める開国論の大名が圧倒的に増えるのである。

最初に積極通商の意見に変わったのは、開明的な薩摩藩主島津斉彬《なりあきら》である。斉彬は、ハリス来日のころには、「交易が盛んになり、武備が十分になり、世界中の強国」をめざすと述べる。改革派の旗頭、越前藩主松平慶永《よしなが》も、鎖国できないことは「具眼のもの、瞭然《りょうぜん》」、「我より航海をはじめ、諸州〔世界〕へ交易に出」ると、日本の方から海外へ進出する通商意見を上申した。

最後まで打ち払い策を上申した大名は少数で、徳川家門の尾張藩、水戸藩、そして鳥取藩、川越《かわごえ》藩の四藩だといわれている。

しかし、尾張藩は、老中の最後の諮問には、たびたびの諮問の上、「別段のご処置」になったので、「今さら」言うべきことはない、日本の難儀が予想される、「十全のご処置、ご熟慮」を、という上申をし、条約承認に妥協する意見を出した。攘夷論の中心であった水戸藩徳川斉昭《なりあき》すら、条約の勅許が要請されてからは、「いわれなく打ち払い」は不可能という意見を朝廷に送る。「〔ハリスの〕無礼の申し立て少なからず、痛憤に堪えず」と、条約批判派だった土佐藩山内豊信《とよしげ》も、後で見るように、翌年には「戦えないという兵」に戦争を求めるのは「無謀」であり、今は条約承認を求める、という意見を朝廷に説くのである。

戦争論も出たのだが、「衆議」を重ねて、条約はやむをえないという、大名の合意がつくり出されたというのが、条約承認問題の真相である。それが大名の「世論」だった。通商条約の是非は、日本の「万民の生命」(勘定奉行)がかかわる現実の問題であり、尾張藩や土佐藩のような拒絶論、あるいは批判論の雄藩も、たび重なる諮問の後は「衆議」に従うのだった。

将軍継嗣問題

条約勅許の要請と並行して、将軍次代後継者をめぐる政争が進展していた。ペリー来航の最中の一八五三年六月に、晩年は、雄藩との協調路線を進めた十二代将軍家慶《いえよし》が急死していた。後継家定《いえさだ》は、病弱で嗣子がない。このため、島津斉彬、松平慶永、伊達宗城《むねなり》(宇和島藩)や山内豊信らの有力大名は、幕府の雄藩協調策にこたえて、家定後継に、三卿一橋家の一橋慶喜《よしのぶ》を擁立する運動をはじめていた。

元来の有力候補は、血統重視の原則からいえば、家定の従兄弟で、紀州藩主の徳川慶福《よしとみ》である。しかし当時、一二歳の幼主であった。松平慶永らの改革派大名たちは、この時二〇歳で、徳川斉昭の第七子、前将軍家慶も期待したとされる、闊達な一橋慶喜を擁立する。慶喜擁立を計る雄藩大名は一橋派と呼ばれた。一橋派には、阿部に登用され、外交を担当した開明的な幕臣、川路聖謨や水野忠徳、岩瀬忠震《ただなり》らも加わる。これに対して、雄藩台頭を警戒する譜代大名溜間詰《たまりまづめ》の井伊直弼《なおすけ》らは慶福を擁立して南紀派と呼ばれた。

一橋派の雄藩大名を支持する老中阿部正弘は、島津斉彬の養女篤姫《あつひめ》を将軍家定の御台所《みだいどころ》に入れることに成功する。だが、改革派の中心であった阿部の三七歳での病死が一橋派には打撃であった。

しかし、一八五八年初めの情勢を見れば、時代は、幕府と大名の協調の方向へと着実に進んでいたというべきであろう。大名への条約の諮問がくり返し行われ、老中首座の堀田が、朝廷の承認も得ようと、一月下旬、一橋派の幕臣川路と岩瀬をつれて上京の途についた。老中は朝廷の条約承認が「厳粛な儀式」にすぎないとハリスに説明していたが、朝廷の条約承認が無事に終われば、将軍が慶福に決まったとしても、堀田老中と開明派幕臣たちの開国と協調の路線の正当性は確かなものになったはずである。改革派の一橋派雄藩大名と幕臣は、すみやかな条約承認を切望していたのである。

ところが、朝廷は条約承認を拒否する。

孝明天皇の書簡

孝明《こうめい》天皇は、一八五八(安政五)年には二六歳の若さであった。はじめは、通商条約を「国一大事」としつつ、「何とも困り々々心配」と述べる。また「私代より、かようの儀〔外交と通商〕にあい成りそうろうては、後々までの恥のはち〔恥〕」と不満をもらしつつも、摂関制度の通例に従って、関白に対応を一任していた。図2-1は、天皇自筆の「私代より……」の部分である。「此花」と署名し、上級貴族の作法どおり、綿々たる女性言葉で記している。天皇の日常は、典侍《すけ》、内侍《ないし》、命婦《みょうぶ》、女蔵人《にょくろうど》、御差《おさし》、御末《おすえ》といった女官たちに囲まれており、貴族以外と応対することはなかった。

朝廷の政務は、関白が統轄し、「三公《さんこう》」という左・右・内大臣、くわえて「両役」の武家伝《てん》奏《そう》と議奏《ぎそう》によって行われる。天皇は、この政務に任ずる公家に意見を諮問したあと、一月下旬に、はじめて積極的な意向を関白九条尚忠《ひさただ》に示した。

> 開港、開市の事、いかようにも、閣老〔堀田〕上京の上、演舌〔説〕そうろうとも、固く許容これなきよう……愚身〔孝明天皇〕においては、承知いたしがたくそうろう、何《いず》れにも、許容これなきようと存じそうろう事、異人の輩《やから》、それを聞き入れずそうらわば、その時は打ち払い然るべきやとまでも、愚身においては、決心そうろう事。(一月二六日)

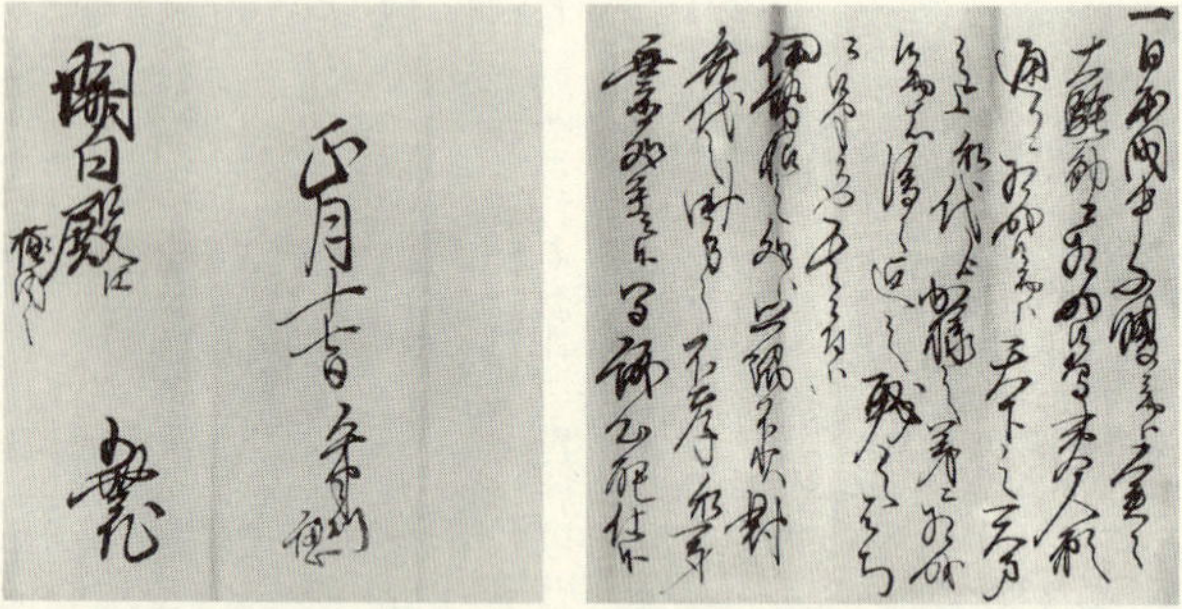

図 **2-1**　孝明天皇の 1858 年正月 17 日の直筆手紙(前後略)．4 行目 3 字目から,「私代より」の文章．「関白殿え，極内々」の宛名書下に，天皇が「此花」という雅号で署名(『大日本維新史料』明治書院)．

固く許容なきようという拒絶意見である。その後も孝明天皇は、条約を承認しない、「打ち払い」(戦争)も辞さないという意向を変えなかった。

天皇と貴族

朝廷では、摂関制度が九〇〇年以上も続いていた。天皇は「おかみ」、「主上」と称される。関白は「万機をあず(関)かりもう(白)す」。「一の人」、「殿下」として政務を統轄し、幕府から与えられる役料は一〇〇〇石、天皇と貴族を統制する役割を課された。幕府の威光をうける関白の権勢は、天皇にならんだ。

公家には、摂家《せっけ》、清華家《せいがけ》、大臣家、それ以下の平《ひら》公家という厳格な家格の序列があり、摂家は、近衛《このえ》、九条、二条、一条、鷹司《たかつかさ》の五家。関白に就けるのは摂家だけで、近衛が「貴族の筆頭」である。関白に次ぐ「三公」、左・右・内大臣に就けるのも摂家と清華家だけである。また、親王家、天皇の一族に、伏見、閑院など四家があったが、席次は、幕府の定めた禁中並公家諸法度《きんちゅうならびにくげしょはっと》によって、三公の下、つまり摂家の下に抑えられていた。一方、それぞれの摂家に臣従する平公家は、近世後期、家数を一二八家に増やし、やがて「列参《れっさん》」として噴出する「多数の力」を蓄えていた。

摂家は、有力武家と「縁家《えんか》」と呼ばれる、濃厚な血縁関係を結んでいた。近衛家と島津家、鷹司家と水戸徳川家、二条家と徳川将軍家、三条家(清華家)と山内家の関係などが有名である。上級貴族と大名の縁家のパイプによって、多様な意見や圧力が朝廷に出入りし、朝議を動かす。このパイプが幕末政治に重要な働きをする。

縁家　島津斉彬は、縁家の左大臣近衛忠熙《ただひろ》と内大臣三条実万《さねつむ》に、条約を「速やかに許容これある方が良策」という書簡を送った。攘夷論で有名だった徳川斉昭も、堀田が江戸を発つ当日、縁家の鷹司政通《まさみち》太閤に「いわれなく打ち払いと申す事にもあいなりかね」という書簡を送る。山内豊信も、縁家の三条実万に「戦争の危険がある、〔条約締結は〕最下策のようだが〔やむをえない〕、ここは幕府に任せるように」と伝えた。そして松平慶永は、側近橋本左内《さない》を入京させ、条約の承認と将軍継嗣に一橋慶喜の推挙を要請する。このように一橋派の大名は、以前は、条約を認めなかった斉昭や豊信も含めて、朝廷に対して条約の承認をこそ求めていた。

一方、摂家の方も、大名が条約を了承したことを知っていた。政務に任ずる公家に対して諮問が行われたが、「貴族の筆頭」近衛忠熙は、幕府がハリスと「再三の応接」をしたのであり、「是非なき次第」と条約を認める意見書を天皇と関白に出していた。政務の公家の意見では拒否する意見は少数で、やむをえず承認とする者が多数だったのである。

重要だったのは、老太閤鷹司政通の存在である。鷹司は、三四年間関白を務めたが、その間、孝明天皇の摂政も務め、関白辞任後、特例によって太閤に任じられた実力者である。ペリー来航時から、アメリカ国書を「甚だ平穏仁慈、憎むべきにあらず」と評価し、「交易を為し、利を得る方、上策か」という開国論を述べていた。

対外強硬派で知られる徳川斉昭も、前に見たように、堀田が江戸を発つ当日に、縁家の鷹司太閤に書状を送り、幕府がハリスに登城を認めたのは「懇切の訳」であり、もはや打ち払いはできないという条約を認める意見を送った。鷹司は、「深く、カッテン〔合点〕参り」、「内々で」天皇にその手紙を見せたのだった。鷹司は、通商条約承認問題については、「太閤三十年余勤労の有無、この一挙《いっきょ》にこれあり」と語るほど積極的であった。

条約締結の事情説明　川路と岩瀬をつれて上京した堀田老中は、二月中旬に朝廷の政務を執る武家伝奏と議奏の両役に会見し、条約の締結事情を説明した。そのうち「当今外国事情〔国際情勢〕」が「緊要」だとして、三一カ条の「大略」を覚書にして朝廷に提出する。

一八一五年のナポレオン戦争の終了によって、欧州のウィーン体制が安定したこと、交易が五大洲(世界)全体に広がり、清国も条約を結んだと説明をはじめる。

アメリカの独立によって太平洋がアメリカと中国との「通路」になったこと、オランダの勧告がアヘン戦争の「禍《わざわい》」を警告したこと、ロシアの樺太南部のクシュンコタン占拠、プチャーチン来航、またペリー来航では、「戦争にも及ぶべき様子」が見られたことを説く。スターリング来航については、イギリスが日英協約に「不承知」であると説明し、オランダの交易勧告、ハリス来航、アロー戦争、ハリスの演説、クリミア戦争などを順に述べた。

説明は、多岐にわたった。たとえば、アロー戦争とインド大反乱(セポイの乱)によってイギリスの来航が延引していると説明し、また、敗戦によって条約を結んだ事例として、清国と、メキシコ(アメリカに敗北)をあげている。

欧米人の言うところ、「虚喝のみにもこれなき段、追々あい分かり」、不承知であった大名も、次第に「発明(了解)し」、鎖国できないことを「会得致しそうろう儀、此の節は十に八、九」になったと述べている。

説明した川路が「西洋の様子など、委細に、つまびらかに申し上げ」たと日記に記したように、堀田は十分に意を尽くした。幕府は、朝廷の承認を、道理に従って順当に得られるものと確信していた。ところが孝明天皇は、右のような当局者による外交の事情説明を受けるより前に、条約案拒否という意向を示してしまい、この後も、条約を拒否するように、摂家を叱咤《しった》激励しつづけた。

孝明天皇と鷹司政通

鷹司政通は、幕閣と協調し、朝廷の復興を計り、公家の待遇改善を引き出すことにつとめた「怜悧《れいり》、円熟」（橋本左内の評）の政治家であった。光格《こうかく》、仁孝《にんこう》、孝明の閑院宮《かんいんのみや》系三代の天皇に仕えて、五六（安政三）年九条尚忠と関白を交代したが、内覧《ないらん》にとどまり、特別に太閤を許された。孝明天皇より四二歳年長で、権勢は天皇を凌いだ。かの岩倉具視《ともみ》も、政通に仕えて彼一流の政治力を磨いたのである。通商条約不承認を貫こうとする孝明天皇にとっては、かつて天皇の摂政を務め、開国意見をもった鷹司は鬼門であった。

孝明天皇は、閑院宮家の出身である。祖父光格天皇は、後桃園《ごももぞの》天皇の末期《まつご》の養子になり、閑院宮家をはじめた。血統が重視された当時において、閑院宮家は傍系である。それゆえ、光格は、父典仁《すけひと》親王に太上《だいじょう》天皇（前天皇）の尊号を贈り、自らの血統を強めようとしたが、尊号一件で、幕府老中の松平定信に阻止された。奇しくも、その時、朝廷内から老中に協調して尊号を阻んだのが鷹司政通の祖父前関白輔平《すけひら》であった。尊号一件の後、鷹司家は、幕末にいたる約七〇年のあいだの、実に五十余年間関白職を占め、老中の信任が厚かった。

それまで若い孝明天皇は何事でも「太閤（鷹司政通）の申されそうろう事は、随《したが》い用い」て来ていた。また、相談事では、「予(天皇)一言に、太閤、多言にて、申し切り」になっていた。太閤の方が優勢だったのである。しかし、この条約勅許問題から、天皇は、「太閤、尊公(九条)へ、何様申しそうろうとも、決して決して御なつみこれなく」(九条宛)と、鷹司家に対抗するよう摂家を叱咤激励し始める。二月下旬には、「深怒」して天皇のところへ来た鷹司と孝明天皇が衝突し、天皇は、関白九条の前で鷹司不信任を明らかにした。

列参

朝廷を統制する関白に対して、堀田老中や鷹司家に屈しないよう、孝明天皇は激励しつづけた。しかし、九条関白は、幕府支持に転じ、条約を承認する趣意書を作成する。天皇が、変心の理由をただすと、九条は、「公武」(朝廷と幕府)の決裂が「はなはだ心配の至り」で、関白になると、「心にいか程思いそうろうとも、又々さほどにも致しがたく」と答えた。九条が天皇の意向をも断ち切ったのは、幕府から関白に課された天皇と公家を統制する関白の役目からであった。九条関白は、近衛や三条に「不穏」な言動があるとして天皇への面会を禁止する。孤立した天皇は、妥協に傾く近衛や三条を叱咤する。

天皇は、側近の議奏(中級貴族が就く)と「寄り合い」(合議)をして、現任《けんにん》公家(参議以上の公家)の意見書を求め、一三人の公家から条約を容認する趣意書の書き替えを求める意見書が出される。それをきっかけに平公家八八人が参内《さんだい》し、九条関白に多数の力で「列参」(強訴)に及び条約拒否を唱えた。この時、天皇側近として、「議奏第一」の久我《こが》建通《たけみち》と岩倉具視が登場した。貴族の強訴は中世では伝統であった。列参は江戸時代、尊号一件の時に一度だけ前例があったが、それよりはるかに激しく夜まで及び、ある公家の日記（『橋本実麗《さねあきら》日記』）は「ごうごう、まことに未曾有《みぞう》の事なり」と記す。

摂家に抑圧されていた平公家たちは、朝廷が幕府の思う通りにしては「天下の人望をふさぐ」と異議を唱える。ただし、平公家たちは「内乱」も「憂苦」するのである。列参をうけて朝議が開かれ、三条実万が天皇の意をうけて案文を作成し、修好通商条約では「御国威が立ちがたく」という明確な条約拒否の文言を付け加えた上で、再度「衆議」して言上するように幕府に命令が出る。こうして、修好通商条約の勅許は、天皇が主導して拒否された。

一橋派の天皇批判

幕府外交については、前章で、軟弱卑屈とか無為無策という評価が間違っていることを説明した。断固条約拒否で幕末日本の世論が沸騰し、それをうけて正論の朝廷・天皇が浮上するというよく知られた物語も、このように事実とは違っていた。

重要なのは、天皇と朝廷の条約承認拒否に対する、一橋派大名たちの痛烈な批判である。

朝廷工作をしていた越前藩橋本左内は、「この類《たぐい》〔列参〕は、南北朝以来、官家〔朝廷〕の僻《ひが》み、事の善悪に拘わらず、ややもすれば、ケ様の事、致しそうろう」、「王綱《おうこう》不振、これらより生じそうろう」という。列参は「官家の僻み」であり、「朝廷政治の不振」が起こると実に厳しい。

山内豊信も、率直である。天皇の考えは「書生同様の論」であり、「戦争に及びそうろう後の策はと推す〔尋ねる〕」と、朝廷は「茫乎《ぼうこ》、答えを得ず、此《かく》のごときは、国家の大事にとりそうろうては、無謀にござそうろう」と批判する。

朝廷から勅許拒否の返答を得た堀田は、条約を断って紛争が起きたらどうするかを議奏たちに聞いている。答えは「彼〔アメリカ〕より異変〔戦い〕に及びそうろう節は、是非なき儀」であった。朝廷は、欧米との戦争もやむをえないという。帰途についた堀田は、江戸の老中に、朝廷は「正気の沙汰とは存じられず」(堀田書簡)と報じた。

幕府は、前章でみたように、「武備整わず」と認め、「大国」の中国やロシアとくらべて、日本が「弱国」であることを冷静に認めていた。かつて中国は、三年に及んだアヘン戦争でイギリス軍に連戦連敗であったが、内陸の北京の清王朝は倒れなかった。大陸国家中国の広大な国土という地勢による。一方、もし江戸湾で一度でも戦争になれば、幕府自身が危ぶんだように、列島くまなく藩が分立した海洋国家の日本では、まちがいなく幕藩体制の統合が消滅したであろう。

戦うための「強力国家」や「大国主義」をめざすのが国家の自立への唯一の道ではないのである。日本列島には、欧米列強の勢力均衡がつくられる固有の地勢の条件があり、開国に対応する国内の成熟もあった(後述)。条約によって外交を組み立てるのは、現実的な選択であった。

しかし孝明天皇は、堀田が帰った後は、「いよいよ拒絶の上は、墨夷〔アメリカ〕同盟の諸蛮、一同、来襲の儀、計り難く」と、堀田らが説いた欧米の「一同、来襲」を予期して、公家に「覚悟」をうながし、朝廷の経費節減と祈禱を命ずる。天皇は、まさに無謀な、現実の戦争を想定していた。

攘夷と神国思想

条約承認拒否のあと、天皇は、自身の攘夷の考えについて、次のように説明する。

中国では、「賢才」を選んで帝王とするが、日本では、「神武帝より皇統連綿の事、誠に他国に例な」く、「日本に限る事、ひとえに天照大神《あまてらすおおみかみ》の仁慮」、そのように代々の天皇が「血脈違わざる」から、日本は中国より優れた「神州」であり、それゆえに、欧米との修好通商条約は、「神州の瑕瑾《きず》」で、「許すまじき事」だと述べる。

幕府の、現実的で過信のない対外観については前に説明したが、孝明天皇の考え方は、中国より優れた「神州」だという、「神武帝より皇統連綿」の神話に基づいた、大国主義思想の一つである。そこに、天皇の攘夷論が生まれる回路がある。開国論の鷹司太閤や九条関白らの摂家に対抗する孝明天皇は、血脈が弱い閑院宮家の天皇だったのであり、それも天皇が、ことさらに「皇統連綿」を強調する要因だった。このように、神国思想を土台として生まれた外交論に、現実性や合理性が見られないのは当然である。

朝廷の条約承認問題で、近衛や三条や久我は、天皇の意を受けて条約拒否のために動いた。鷹司政通はこの後も天皇に不信感を持たれつづけるのだが、その鷹司ですら、最後には、条約拒否に加わるのであった。彼らは、本来、条約には反対ではなかったし、島津斉彬ら一橋派の条約承認を求める意向を十分に知ってもいた。しかし、縁家の大名の意向ではなく、孝明天皇に同調したのだった。摂家は、天皇家と血縁で濃厚に繋がっているのである。孝明天皇の女御《にょうご》は、九条の娘であった。九条関白は二条家からの養子であり、当時、九条家の養子には鷹司太閤の実子が入っていた。鷹司は、一条家にも養子を入れていた。鷹司も、近衛、一条、九条も、天皇家から親王が入って「王孫《おうそん》」になっていた。このように貴族たちは御所という狭い空間のなかで、代々入り組んだ濃密な、彼らが「貴種」と考えた血族をつくっていた。それが、「雲《うん》上《じょう》」であった(図2-2)。三月初旬の平公家の攘夷意見書にも、「万王一系の神国」(『三条実万手録』一、中山忠能《ただやす》以下七名)という語句が見られるように、多数の威力を示した平公家も雲上の非合理な神国思想を分かち持っていた。

詳しく見れば、天皇と貴族共同の「雲上」という伝統的な神国思想にくらべて、天皇(孝明)こそが、貴族(鷹司や九条)とちがって、神武以来の「万王一系」をつぐ貴種だ、という神話は、この時に生まれたあたらしい神国思想である。こういう幕末政争の前史の上に、明治憲法で「万世一系」という天皇主義思想が創案される。

条約承認問題の真相は、戦前からつくられていた「物語」とは逆であった。穏当で、開明的で現実的な幕府の改革派勢力が、「神武帝より皇統連綿」の神話に基づく大国主義思想に依る

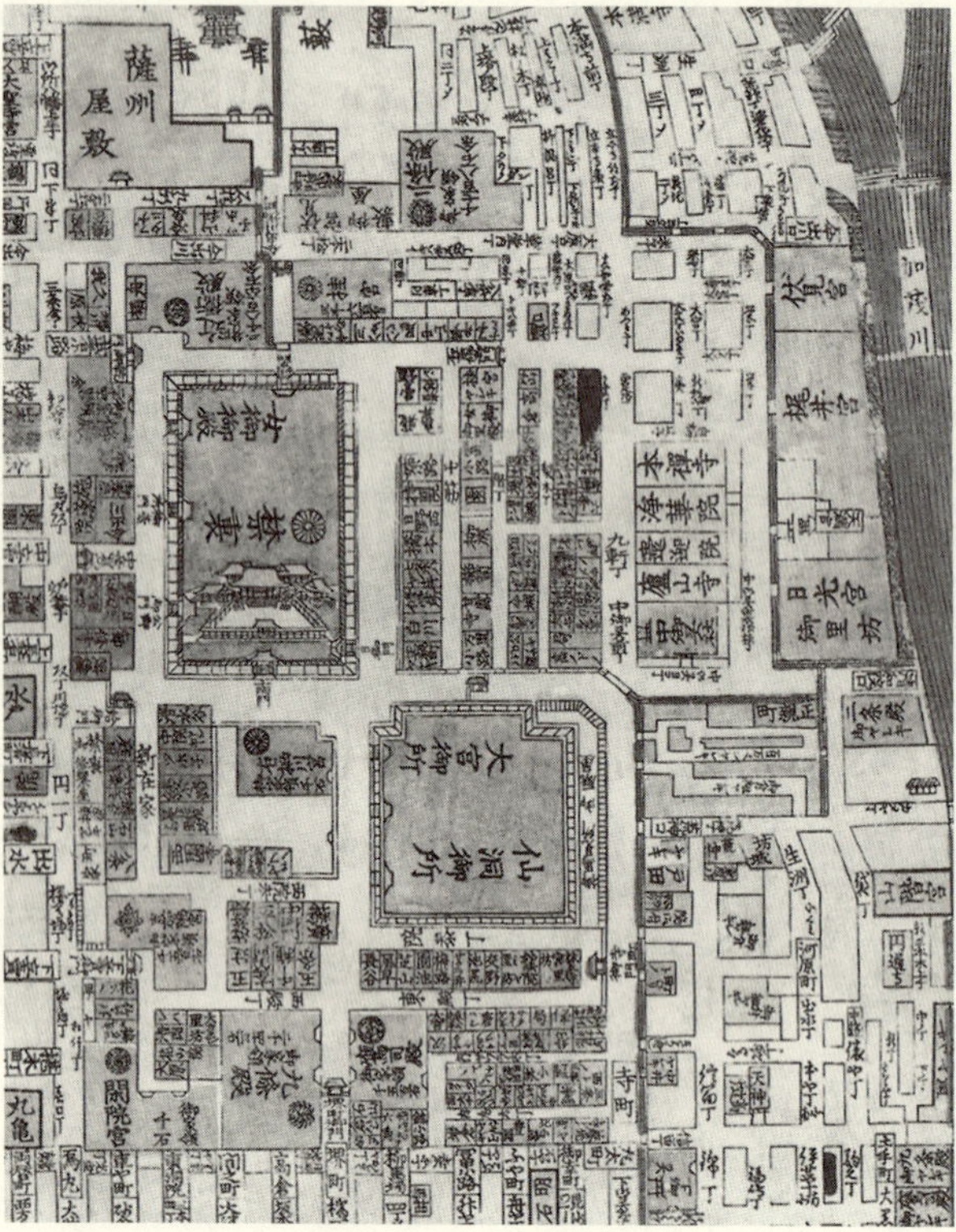

図 **2-2**　御所と公家屋敷．御所は，禁裏と記された部分．東西 250，南北 450 メートル．対立した九条家と鷹司家は，南(図の下方)で隣りどうし．薩摩藩の縁家，近衛家は北の方．幕府派の二条家が同じ今出川通り一軒おいた筋向こう．薩州屋敷が近いが，同屋敷は幕末末期にこの場所に移転(「改正京町御絵図細見大成」)．

天皇のために、大きくつまずかされたのである。容易だと予想された朝廷の条約承認に失敗して、堀田正睦や川路聖謨、岩瀬忠震らの開明派は、威信をおおきく失墜した。彼らはその後「京都の不都合」によって処罰される。

井伊直弼の登場

堀田らが条約承認問題で苦闘しているあいだに、江戸では南紀派が勢いを得た。堀田が江戸へ戻った直後に、無名だった井伊直弼が大老につく。一八五八(安政五)年五月下旬、将軍後継に慶福が内示され、次に述べる日米修好通商条約締結後、堀田正睦らは「京都の不都合」で左遷、追放されてしまう。

時に中国では、アロー戦争で英仏連合軍がいったん勝利をおさめた。アメリカ軍艦は、イギリスが日本に来航し、通商条約を迫るとの情報をもって下田に入った。この機に、ハリスは条約の調印を求める。条約承認を要請してつまずいた堀田正睦や岩瀬忠震ら改革派幕臣は、勅許なしの即時調印を主張し、一八五八年六月一九日、日米修好通商条約が調印された。

一方、中国は簡単には屈服せず、第二次アロー戦争へと進み、イギリス海軍の来航はさらに五年遅れた。ハリスは、堀田役宅での演説で、アロー戦争が、イギリス海軍の渡来を「遅延」させていると説明し、「〔清国の〕戦い、永くはあい堪えそうろう儀、とても出来申すまじく……程なくご当地〔日本〕へ参り申すべく」と、中国はまもなく敗北し、イギリスがすぐに来航すると述べていた。インド大反乱(セポイの乱)についても、井上清直に「騒動大方ならず、もっとも、追々打ち平らげそうろう様子」と、鎮圧が終わったのでイギリス軍の日本への「転向」が近いと説明した。アロー戦争も、インド大反乱も、ハリスの予測より拡大し、長期化し、イギリスにとって重い足枷になった。ハリスたちは、アジアの力量を過小評価していた。

将軍継嗣公表の前々日から、一橋派の徳川斉昭と大名らが不時(無断)登城して井伊直弼と対決し、「違勅」調印を批判する。大名の強訴であり、将軍継嗣決定の逆転を計ったのである。だが、実際には堀田ら一橋派の幕臣こそが無勅許の条約調印を進めたのだったから、斉昭らの追及もあっけなく論破された。

戊午の密勅と天皇

通商条約調印を聞いた天皇は、「心配歎痛、絶体絶命此時と、悲歎無限」と憤激し、譲位をほのめかす。しかし一方では、譲位をすれば、鷹司太閤が幼帝をつけて幕府とはかり、思いどおりにする(「致しくるめ」る)のではないかという疑念も隠さない。さらに、翌七月からは、オランダ、ロシア、イギリス、フランスとの修好通商条約が次々に結ばれてゆく。

八月上旬、天皇は、「関東(幕府)の横道」を責め、政務の公家に対応策を命ずる趣意書を出した。井伊大老上京の噂に、天皇は「上京そうらえばもはや地獄にそうろうあいだ、鬼のこん間に逃げ出し願いたく」と恐れつつ、「なにとぞ密書の御勘考」と密勅の検討を命ずる。九条関白は天皇の文案について、「余り厳格の御文体」と抵抗するが、天皇は譲位を持ち出して譲らなかった。こうして「戊午《ぼご》の密勅」も、天皇の主導によって出された。戦前以来の通説は、この経緯を水戸藩や薩摩藩の有志の朝廷工作で説明してきたが、それは天皇自身の動向の検討を避けていたからである。

天皇が出させた密勅は、今は国内の「治乱」こそが問題なのだとして、井伊直弼の排斥を含意し、幕府の最高人事への介入を図ったもので、それを問題の水戸藩へ宛てて出したのである。天皇と朝廷の「一大抱負」であった。

密勅を出した天皇の考えに、雄藩大名への期待があったことは事実であろう。密勅を出す前、天皇は、特に左大臣近衛忠熙に、「御親族の大名」の薩摩藩に対する期待を述べていた。近衛が薩摩藩の警衛出兵を打診したが、島津斉彬は、六月、「弘安、蒙古〔蒙古襲来〕、同日の論にてはござあるまじくそうろうあいだ、深くご勘考」を求め、「ご内乱の姿」になると警告し、出京要請に対して、「充分の手当は、お請け申し上げがたく」、「かようの事より、内乱の媒《なかだち》にも」なる、と明確に拒絶していた。そして、斉彬は、この手紙の翌月、密勅が出る前月に薩摩藩地で急死した。

密勅後も天皇は、薩摩藩の出兵を近衛にたずねる。近衛も、朝廷に「異変」がおきた場合、薩摩藩の警衛出兵を「極密の手当」として、あらためて「密々頼み入れ」た。翌九月、西郷隆盛は、幕府が「暴発」した場合を想定して、水戸、尾張藩や大坂城代を巻き込んだ挙兵計画を立てている。しかし、斉彬後継の藩主忠義《ただよし》を後見する前々藩主斉興《なりおき》は、斉彬の政策をことごとく否定した慎重派であった。幕府の抑圧に対抗する点ではまったく斉彬に劣らないのだが、中央への進出を徹底的に避けた。

西郷は、将軍継嗣問題で斉彬の密命を受け、大奥の工作をしていた。斉彬は、兵三〇〇〇を率いて上京の準備をし、西郷に密命を与えていたともいわれている。後にこれが「斉彬の遺訓」と扱われるが、真相は不明である。急死した斉彬について確かなのは、右の出兵辞退の手紙である。

朝廷の密勅は、有力大名にも縁家の摂家から、万一の場合の出京依頼も含めて回達された。朝廷に「非常の義」がある時、「人数など」を出京させるようとの朝廷の「沙汰」の「内密」の申し入れであった。薩摩藩、長州藩、土佐藩、岡山藩、鳥取藩その他に送られた。薩摩藩や長州藩、岡山藩は、朝廷の「内密」申し入れを請けたが、安政の大獄が起こったとき、どの藩も動かなかった。

長州藩は、一一月に藩主臨席の御前会議を開いて、朝廷の申し入れに対して「遵奉《じゅんぽう》」と「列藩動静」に従うとの、どちらかを選ぶために合議し、後者の「列藩動静に随い」を選ぶのである。要するに長州藩は朝廷の申し入れを無視した。他方、土佐藩は、そもそも申し入れを請けなかった。鳥取藩も、藩主が在国中で「江戸の事情」が分からないとして請けなかった。右のように、朝廷の命令を請けた藩もあったのだが、実際にはどの藩も動かなかった。大名は、天皇、朝廷の動向を、冷静に見ていたのである。

一橋派の敗北

一八五八年から翌年にかけて、安政の大獄が起こる。雌伏していた井伊直弼は、誰も予想しなかった果断さを発揮した。近衛忠熙らの公家、徳川斉昭らの大名、岩瀬忠震らの幕臣、橋本左内ら藩士や浪士が処分され、連累、百余人に及んだ。

朝廷側が、幕閣人事に異議を唱えて「宣戦布告」したのであり、幕府の大反撃は、予想の内であろう。往年の在野の歴史家、尾佐竹猛《たけき》の戊午の密勅論は朝廷に実に厳しいものであった。密勅は、朝廷の「一大抱負」であったが、「水戸藩の力を過大視し、幕府の力を過小に評価し、一般政情に対する認識不足であった。むしろ方法を誤ったものといわねばならぬ」という。尾佐竹らしいリベラルな見識である。朝廷の認識不足の大きな要因は、もっぱら孝明天皇の政情についての認識不足によるのである。上京した老中間部詮勝《まなべあきかつ》は、「異人は禽獣《きんじゅう》同様に唱え来たりそうらえども、今に至りそうろうては、各国往々非常の人才も出来《いでき》」と、天皇と公家の欧米人に対する禽獣同様視を批判、西欧の長所を評価して世界情勢を詳しく説明した。

威圧に屈した天皇は、幕府外交を「今においては氷解の事」と承認した。ただ、将来的に、「七、八年か十年で」攘夷をすることを譲らなかった。天皇は攘夷に固執したし、確かに、条約勅許はされなかった。しかし、「七、八年か十年で」という年数は、幕府側からの提案であり、実は大いに含みのある長期の年数を認めたのである。一〇年後は、一八六八年維新の年である。

一〇年後の攘夷の約束は、実際には、事実上の条約承認に近い。それを、天皇が不本意ながらうけいれたとするのが自然な評価であろう。

大局を見れば、幕府の川路や岩瀬ら開明派の幕臣が一掃されたことは、取り返しのつかない損失であった。幕政改革は全面敗北を喫してしまったのだった。一方、井伊大老の幕府も、雄藩大名からまったく孤立した。

桜田門外の変

こうして、天保改革の大名抑圧政治が再現されたかに見えた。水戸藩は、密勅返納を命じられ、藩内が激動する。

薩摩藩では、斉彬の急死後、前々藩主斉興の抑圧の下で、中下級武士、有馬新七、大久保利通《としみち》、松方正義《まさよし》ら四十余人が結束した。奄美《あまみ》大島へ潜居させられた西郷隆盛と連絡し、水戸、長州、越前などの諸藩の有志と連携し、大老井伊直弼を襲撃しようとしたのである。

藩主島津忠義の実父久光《ひさみつ》は、「突出」(脱藩、挙兵)を止める藩主の直書を出して大久保らを誠忠組とたたえ、自重を求める。突出を中止した大久保らは、藩とともに出兵する道を選び、誠忠組と称して薩摩藩内に尊王攘夷派をつくる。以後、大久保は常に薩摩藩の政治の中枢に立つことになる。前述したように、雄藩は、阿部、堀田前老中の下で、産物交易などを大きく展開させており、天保改革の時とは違って、もはや屈服に甘んじなかった。

水戸藩でも、高橋多一郎らの激派が挙兵を計画しており、戊午の密勅返納の幕令に反発して、井伊直弼襲撃計画が水戸藩と薩摩藩の激派の間で具体化する。そして一八六〇(安政七)年三月三日、雪の朝、水戸藩士一七名と薩摩藩士一名が、登城する井伊直弼の行列を桜田門前で襲撃、井伊を暗殺した。

天皇と和宮

井伊直弼暗殺の後、老中首座には安藤信正《のぶまさ》が就き、一橋派のために退けられていた久世広周《ひろちか》も老中に再任された。そこで画策されたのが、孝明天皇の異母妹和宮《かずのみや》と将軍徳川家茂《いえもち》との婚姻、いわゆる和宮降嫁《こうか》である。幕府は、公家と武家の連合(公武合体)をもって威権を修復しようとした。しかし、天皇は、幕府と朝廷のあいだに問題はないと述べて辞退した。

ここで、幕府の要請に応えるよう、建言したのが、平公家の岩倉具視である。建言は、次のように、いかにも岩倉らしい明快なものである。

　幕府は、朝廷の威光で「覇権を粉飾」しようとしている。「政柄《せいへい》」(政権)を「隠然と」回復する方略で対処しよう。大老暗殺後の幕府に、なお攘夷を求めるのは「長竿《ながざお》を以て天上の星を敲《たた》き落とす」ようなもので、不可能である。政権を取り返す事業は「必ず干戈《かんか》(武力)に訴え」ねばならない。だが、幕府はまだ力があり、大名は幕府について反撃し、あるいは傍観するだろう。「天下の大乱」を招くので時機到来を待たねばならない。和宮の一身は「九鼎《きゅうてい》(帝位)よりも重い」。くさびを打って、名義は幕府、実権は朝廷が握る、と。

孝明天皇は、岩倉の建言を受け入れる。天皇は、幕府の力をあらためて評価し、幕府に接近して将来の打ち払いに期待する方策におおきく変身した。さまざまに潤色されているのだが、孝明天皇は、和宮降嫁に積極的だった。しぶる和宮側を説得するために、側近の議奏久我建通に、拒めば安政の大獄の再来になるとまでひそかに言わせる。それどころか、九条関白には、和宮の生母などに「きっと罰加えさせそうろうよう」、幕府へ申し込むことを、ひそかに依頼した。天皇は、幕府に協調したのである。刊行されている宮内省編纂の『孝明天皇紀』では、手紙のこの部分だけが削除された。また、天皇は、右のように久我に伝言したことを、和宮の生母の面前では否定した。憤激した久我は、天皇の二枚舌(「御両舌《りょうぜつ》」)を批判する。

一八六一年初冬、和宮は京都を出発し、一八六二年二月に将軍家茂との婚儀が行われた。

鷹司や近衛、三条ら上級貴族は、和宮降嫁の実現によっても、なお処罰を免れなかった。大局を見れば、安政の大獄で、摂家の実力者たちが厳罰に処せられ、隠退させられた、その隠退によって、摂家に抑圧されていた孝明天皇の、鷹司家などから自立した活動も可能になった。天皇は、条約勅許を拒否するとき、近衛忠熙ら摂家に「決して決してご心配あらせられず」、「呉々も御安心」とまで言っていたが、この後、前言に反して、自身は、幕府協調に変身しながら、摂家実力者の赦免を強くは求めず、それどころか、鷹司家の赦免を拒否しつづける。

2　薩長の改革運動

長州藩の安政改革

ここで三年ほど遡り、井伊大老の就任直後に戻るが、一八五八(安政五)年五月、通商条約締結のころ、長州藩は、「第一に朝廷への忠節、第二に幕府への信義、そして第三に洞春公(藩祖の毛利元就《もとなり》)への孝道も大切にする」という綱領をきめていた。「幕府への信義」を掲げ、その上に「朝廷への忠節」を置くのは、江戸時代、国政に関与することを禁じられた外様藩の長州藩が政治の表舞台に登場する萌しである。藩政の主導権をとるのは、周布《すふ》政之助、石高七〇石弱の中下級武士で、右筆役《ゆうひつ》(政務方ともいう)の実務役人である。

長州藩は、貿易開始のころ、「内乱か外患か」が危ぶまれる、「軍《いくさ》用意一途《いっと》」の時代になったとして「西洋銃陣」をめざすことをきめる。また、今後、重要な事項については、藩主臨席の御前会議を開いてきめることを掟にした。こうして決定事項は、藩主の「上意《じょうい》」として布告される。江戸時代には、藩主の「上意」は絶対であったからである。これは、一〇〇石以下の実務役人、右筆役や用談役、手元役などの「有司」グループが、藩主を擁して、その下に結束して、藩を上から動かしてゆく体制を作ったことを意味している。この御前会議の体制こそは、明治維新まで、長州藩の政治システムの基本となる。

前に見たように、戊午の密勅が出た後、八月下旬に朝廷から上京の要請が長州藩庁に伝えられ、藩庁は一応は請けた。しかし、九月にひそかに入京した周布は、鷹司輔熙《すけひろ》(政通の実子、右大臣)らと会見して、攘夷論は「固陋《ころう》の弊」(ふるびた考え)と、逆に開国論を説くのだった。また、一一月には、前に見たように、御前会議で、「列藩動静」を見定める慎重論が決められ、長州藩も朝廷の出京要請を辞退した。

長州藩の航海遠略策

長州藩は、幕府の天保改革での雄藩抑圧策の一つである西国諸藩専売取締令のために、産物交易を中止せざるをえなくなっていた。しかし、阿部・堀田老中の雄藩との協調政策のもとで交易は再開され、安藤・久世老中のもとでも続けられる。交易網は、北は、会津、武州、そして江戸、越前、大坂、大和まで、西は対馬、長崎、薩摩、さらに薩摩を経由して琉球にまで広がっていた。

萩小畑浦《おばたうら》で洋式スクーネル船丙辰丸《へいしん》が建造される(図2-3)。一八六〇(万延元)年、丙辰丸の江戸への初航海に、産物方役人と同行して、萩随一の豪商菊屋と、そして長州藩の軍艦教授所に入っていた高杉晋作が乗船する。二〇歳の高杉は、航海の日誌「東帆録」をのこした。

翌年の江戸航海では、木戸孝允が横浜開港場へ潜入し、「かねきん〔金巾〕木綿も百反もあい求めそうらえば、二十両位は江戸より下値」と、貿易情報を周布に送っていた。当時は、横浜への武士の出入りは、攘夷事件もあって、幕府によって関門できびしく禁じられていた時代である。この金巾木綿こそ、「大英帝国のエンジン」と呼ばれたイギリス第一位の輸出商品、機械織り薄手木綿である。

周布と木戸、高杉という、横浜貿易への参加を狙うこの三人こそは、この三年後の長州藩尊王攘夷運動の、指導部の三人にほかならない。木戸は、貿易参加のために幕臣への工作もした。木戸も洋式軍制を学んだ、あの幕臣中島三郎助が、長州藩の横浜「産物一条」世話を引き受け、調査して木戸に書面を送ってきたのである。

図 **2-3** 丙辰丸．全長 24.5 メートル，4 帆．乗組員 17 人，砲 4 門を備える（丙辰丸製造沙汰控」より，山口県文書館蔵）．

長州藩は、六一年に航海遠略策《えんりゃくさく》をもって政局に登場する。航海遠略策は、海外への貿易進出策を幕府と朝廷に提案したものである。「宇内《うだい》〔世界〕の形勢は年序を追って、あい開け」、開港は「自然の時勢」、開港するだけでは「清国の覆轍《ふくてつ》〔失敗の再演〕」であり、「航海の術」を開かねばならないと説く。やむなく開国という主張を「大老以下偸安《とうあん》〔一時しのぎ〕の常情」と批判し、長州藩も外国へ航海する必要があるという。米・紙・蠟〔「防長三白」〕その他の産物生産を世話し、「士にして商を兼ねそうろう心得」をもって、蒸気船を注文し、外国交易を幕府に願い出ると、積極開国論を示している。外様大名が幕政に介入することは禁制であったが、孤立して開国を進めていた安藤・久世政権の幕府は、これを受け入れた。

藩主側近、直目付《じきめつけ》の長井雅楽《うた》は、開国論を朝廷に建白して了解を得た。しかし正親町《おおぎまち》三条実《さね》愛《なる》ら議奏の一部だけが航海遠略策を了解したというのが実状であり、天皇が開国論に変心したことを示す証拠はない。天皇が反対しなかったのは、雄藩の主張に対するいつもの「ぶれ」(「御両舌」)を見せたにすぎない。ともあれ長州藩は横浜で、蒸気船二隻を購入することができた。大型のコットル型帆船庚申《こうしん》丸も、丙辰丸の五倍の二万両を投じて建造される。

ねらいは、排外意識の強い天皇、朝廷に開国策を説得して、幕府を政治的に助け、一方、幕府に、長州藩の産物交易の公認、そして海外貿易への参画の了解を求めたものであった。しかし、この政策は、開明的だが、幕政改革の展望はまったく欠けていた。一方、木戸や高杉は、これらの政策に対し、開国論には賛成するものの、現状の幕府に迎合的で、諸藩の世論に反すると強く批判する。

島津久光の率兵上京

薩摩藩の尊王攘夷激派、誠忠組の「突出」を抑えた大久保利通は、上級家臣の小松帯刀《たてわき》らとともに小納戸《こなんど》役に異例の抜擢をされ、藩主忠義の実父久光を中心とする出兵上京計画を推進する。

大久保は、一八六二(文久二)年初めに上京し、島津家縁家の近衛忠房《ただふさ》(なお処罰中の近衛忠《ただ》熙《ひろ》の実子)に会い、薩摩藩の京都出兵計画を次のように申し入れる。

幕府は、和宮を「掌中の物」として、朝廷を軽んじている。十分の兵力がなくては、「戊午の覆轍」(戊午の密勅の失敗の再演)になるだけだ。兵をもって近衛家に向かうので、「非常の聖断」で幕府へ勅使を出して、一橋慶喜を将軍後見職に、松平慶永を大老にするよう要請したい。そして関白を九条から近衛に替える。「徳川家を捨」てて、武力を用いる意見もあるが、「首尾の詰り」(事件の収束)がはなはだ難問である。斉彬の遺志も、武力を使わないということであった。しかし、場合によっては是非に及ばない。「時機、この一挙《いっきょ》にこれあるべし」と。

薩摩藩の意図は、孤立した幕政の、旧一橋派大名との協調路線への復帰である。五八年の敗北を踏まえて、兵をもって、幕政改革の実現を求める。それは、幕法に違反した出兵であり、武力対決もある程度覚悟したもので、雄藩のクーデター計画に等しい。

しかし、孝明天皇と近衛家は、戊午の密勅の際とはちがって、薩摩藩の申し出を「実に当惑」、「無益の騒ぎになるのみ」と拒否する。近衛忠房は、幕府が和宮降嫁で将来の攘夷方針を約束したので、今はその結果を待っていると断った。和宮降嫁以後、「関東(幕府)の関白」と評された九条関白が朝廷を抑えていたのである。

こうした薩摩藩が孤立を深める政治情勢の流れこそ、久光が兵を率いる決断をする要因であった。岩倉の建言が示すように、天皇は幕府に傾いており、そして、長州藩のように、一橋派の改革運動には参加しなかったのに、「幕府へ取り入り、天下の権を握りたく」、「自己航海の私論」（薩摩藩士の言）を唱える藩が幕府と協調する。旧一橋派大名を追放したままで、幕府、朝廷、くわえて長州藩の連合が作られつつあった。

久光は、天皇と近衛の拒否を問題にしなかった。三月中旬、兵一千余を率いて鹿児島から出発する。久光の上京を機に、関白九条や所司代酒井忠義《ただあき》を倒そうと各地の尊王攘夷派が集まり、伏見の寺田屋で蜂起を計画した。朝廷と雄藩による幕政改革をねらう久光は、入京後の四月下旬に鎮静のための藩士を寺田屋へ送ったが、従わない有馬新七ら、尊攘派八名が同藩士によって討たれた。同士討ちの寺田屋事件である。

武家の尊王

政治の亀裂の増幅によって、下級武士や浪人、さらには豪農豪商など、さまざまな幕政反対派が糾合《きゅうごう》する勢いを見せる。江戸では、一八六二年一月に、水戸浪士らの尊王攘夷派が、江戸城坂下門外で老中安藤信正を襲って傷つける坂下門外の変が起こる。九州や西日本各地の草莽《そうもう》（在野の志士）、小河《おごう》一敏《かずとし》や平野国臣《くにおみ》、真木《まき》和泉《いずみ》らが藩を越えて、久光の出兵上京に参加しようと、同志を組織しはじめた。

長州藩の久坂《くさか》玄瑞《げんずい》は、航海遠略策に反対し、久光の出兵上京に加わるために、土佐藩勤王党の盟主武市《たけち》瑞山《ずいざん》に、「諸侯恃《たの》むにたらず、公卿恃むにたらず、草莽志士糾合、義挙の外にとても策これなき事」、「失敬ながら尊藩〔土佐藩〕も滅亡して大義なれば苦しからず」として、藩や大名や貴族を乗りこえた草莽蜂起論(草莽崛起論)を唱えた。草莽の志士たちは、脱藩した藩士や浪人、豪農、豪商出身者など、人も運動も実に多様であった。

豪農豪商出身の草莽が、政治改革運動に参加する。たとえば右の久坂玄瑞の手紙を土佐へ運んだ坂本龍馬《りょうま》は、郷士身分とはいえ、高知城下の豪商の次男であった。脱藩した龍馬は、京都の寺田屋蜂起計画には加わらず、下関から薩摩へと久光の出兵と反対方向へ向かう。ついで京都には寄らずに江戸へ入り、龍馬が「日本一の人物」と心酔した勝海舟と運命的な出会いをする。龍馬は、攘夷の傾向をもっているが、その一方で、幕臣勝の洋式海軍設立計画に参加し、やがて貿易商会、海援隊の経営をめざした。

龍馬のような「開国派の草莽」の運動は、実は無数に見られるのである。もっと幅広く見るならば、島崎藤村の『夜明け前』冒頭に描かれているように、山深い木曾谷をへて、横浜の生糸輸出に集まってくる、美濃在地の商人たち(売り込み商)の動向も、背景には地域の彼らを支えるネットワークがあるのである(図2-4)。彼らの旺盛な経済活動の集積こそが、開国をしだいに定着させ、日本の独立の広大な基盤になったことは、後で述べる。

出兵入京した久光は、ためらう近衛ら公家に対して、家来のなかには「偏固短慮の者」もいる、いつ「暴発」するか懸念至極と、寺田屋事件で弾圧したばかりの激派の「暴発」を、朝廷の摂家を動かすために十分に利用する。
　四月中旬に出兵上京した久光は京都錦小路の藩邸に入る。議奏と会見し、安政の大獄以来処罰されたままの近衛忠熙らを赦免し、かつ近衛を関白にすること、幕府に松平慶永と一橋慶喜登用を求める勅を出すことを要請する。五月には、江戸へ派遣する勅使《ちょくし》として、岩倉に劣らぬ剛直さで「鵺卿《ぬえきょう》」と呼ばれた大原重徳《しげとみ》を決定し、幕府派の九条尚忠が罷免された。

図 **2-4**　江戸の行商人．板橋宿．右下，石神井川にかかる板橋．中山道最初の宿場．左上に旅籠．行商人は，図のように，二人一組で全国を巡った（『江戸名所図会』第 13 篇）．

　『九条尚忠文書』には、九条関白罷免の翌日に孝明天皇が尚忠に出した勅書が収録されている。天皇は、罷免について、「実々残懐《ざんかい》〔残念〕、かつ不本意の至り」であり、「浪徒の暴発、実々危事、旦夕《たんせき》〔朝か晩か〕に迫」ったので承認した。天皇の考えは、過日に話した通りであり、「他存なくそうろうあいだ、兼ねてご承知頼み入りそうろう」と記している。この「勅書」というタイトルの下には、「大切の事柄なり」と、九条家の書き込みがある。孝明天皇の幕府や和宮降嫁にかける思い、久光の上京についての本音は、変わっていないのである。天皇は、薩摩藩に動かされる「浪徒〔実は藩士〕」の「暴発」に、不本意ながらおされたのである。

この時に、江戸派遣の勅使が決まらなければ「暴発」すると、前述の久光の言葉通り、久光側近の藩士が議奏を脅迫した。議奏中山忠能《ただやす》は、「まことに不穏の至りにそうらえども、〔薩摩藩は〕偏固の国風、いかんとも仕《つかまつ》るべき様これなく」と嘆き、勅使に「鵺卿」大原重徳を推している。朝廷も、「暴発」を操る薩摩藩に力で抑え込まれたのである。

武家側は、久光のように、可能な限り武家の仕方で対応した。武家にとっては、こうした暴力的な対応すら「尊王」だった。統治機構も武力もなかった朝廷が政争の場として浮き上がってくるのは、雄藩と上級公家の血縁を通ずる関係が大きい。薩摩藩は縁家の近衛家を関白に擁立して朝廷を抑えた。

生麦事件

久光は兵力をもって江戸へ向かい、七月に慶喜の将軍後見職、慶永の政事総裁職への登用が、難航したが実現した。京都には新たに京都守護職が置かれ、会津藩主松平容保《かたもり》が就いた。慶喜と慶永の下で、文久の幕政改革が行われ、隔年であった大名の参勤交代制が、三年に一回になり、妻子は帰国を許された。幕府は、大名たちの協調を求める主張にやや譲歩した。

久光は、帰路、神奈川近郊の生麦村《なまむぎ》(現・横浜市鶴見区)で騎馬のイギリス商人ら四人とすれ違う。藩士が、下馬しないイギリス商人に、大名行列に非礼と抜刀し、商人リチャードソンを斬殺する。横浜居留地では各国商人が集会し、商人たちからは久光への即時報復論も沸きたったが、イギリス外交部と海軍が、日本と開戦するに等しいと抑える。

産物交易と大名

一八六〇(万延元)年、桜田門外の変の直後に、幕府が出した五品江戸廻し令は、生糸・雑穀・水油・蠟・呉服の五品に限って、江戸問屋を経由して横浜へ送ることを命じた法令である。外国貿易開始後、生糸などが産地の売り込み商人によって直接に横浜に送られ、江戸問屋の流通統制力が弱まり、物価騰貴が起きていた。そこで幕府は、生糸を中心とする江戸問屋の利益独占と貿易抑圧を企てたのである。このため一時的に貿易が減退したものの、外国商人、横浜売り込み商人らの反発、欧米外交団の抗議と、薩摩藩などの密貿易の暗躍によって成功しなかった。

一方、六一年の長州藩の航海遠略策は、他藩から「自己航海の私論」と批判されたように、長州藩一藩が幕府に接近して産物交易策を拡張し、貿易にも参加するねらいであった。また、薩摩藩の出兵上京の背景には、次のような、貿易開始後の一層深刻な事態があった。

薩摩藩は、前に紹介したように、中国唐物の密輸入、松前の昆布などの蝦夷地の海産物密輸出、奄美産砂糖の独占交易などによって、藩財政の半ば以上を占める巨額の利益をあげていた。ところが、貿易が始まると、欧米商社は東アジア規模の中継貿易を展開するのである。

蝦夷地の海産物は、箱館から外国商人によって上海へ直輸出され始める。とりわけ、薩摩藩に大きな利益をもたらしていた蝦夷地昆布の直輸出が多かった（図2－5）。中国の蘇木《そぼく》（蘇方とも。赤色染料）も欧米商人の手によって輸入され、砂糖も東南アジアから安価に入り始める。こうして、東アジアと日本の貿易関係の変貌により、薩摩藩にとって重大で困難な事態が生まれていた。

そのため、薩摩藩は、横浜で生糸を密売買し、あるいは、アメリカ南北戦争で原綿が高騰すると、大坂その他で大量の綿花を買い集めて横浜と長崎で売却して利益をあげた。薩摩藩の出兵上京の背景の一つはここにある。松平慶永の越前藩も、西洋事情に詳しい横井小楠《しょうなん》を招き、三岡《みつおか》八郎（のち由利公正《きみまさ》）を登用して、横浜と長崎の貿易に積極的に参加した。これらは、雄藩の幕政改革を求める政治運動を支えた経済の基盤の実態である。

図2-5　十勝の昆布採り図．幕末維新期，薩摩藩やイギリスの活発な貿易の一端を，蝦夷地アイヌ民族の昆布生産が支えた．図上方の船は，アイヌ民族の船，チプ．画家平澤屏山は幕末・維新期に活躍（十勝毎日新聞社蔵）．

3　尊王攘夷と京都

攘夷実行

島津久光が幕政改革をめざして、江戸へ入る一八六二(文久二)年六月ころ、久光出兵によって生彩をなくした長州藩の開国策、航海遠略策は、攘夷論の朝廷を誹謗するものと朝廷から批判され、破綻していた。長州藩は翌月、京都三条河原町藩邸の御前会議で、失地回復を計るため、一転して「破約攘夷」、つまり攘夷を実行するという政治路線をとる。

攘夷策を「断然」堅持すると、孝明天皇はくり返し言明していた。幕府が攘夷策を捨てるならば、その時は「決心」、天皇自ら攘夷の親征を行うと表明する。しかし和宮降嫁以後、天皇は幕府に依存し、「(将軍家に)異心がましき儀は一切これなし」と述べていた。外交では明確な攘夷策だが、内政では幕府に依存した公武合体策であり、そのため天皇の頑強な攘夷の考えも、現実政治の場面では、曖昧で、留保がつくのが常であった。

長州藩は、破約攘夷の藩是を決めるときに、朝廷に対して「叡慮《えいりょ》」(天皇の考え)を確認した。朝廷の返答は、通商条約はもちろん、和親条約も認めない、いずれも「破約」して攘夷するというきびしいものであったと長州藩は説明した。しかし、これは、長州藩の強引な解釈というものであった。朝廷は、「和親条約も拒絶」と返答したのだが、続けて、「しかし、これらの国是、重大の儀、なお衆議の後、叡旨《えいし》〔天皇の意向〕、仰せ下さるべく」と付け加えており、ただしくは、明確な回答を避けたのである。要するに、長州藩は、天皇の真意を問題にしなかったというのが真相であった。武家の世界では、強引な解釈も、天皇をたてまつれば、尊王の内であった。長州藩は、後で見るように、攘夷の実行を切望したのである。

長州藩の尊王攘夷の活動によって、抑圧されていた平公家をはじめ、尊王攘夷激派が表舞台に登場する。江戸から戻った島津久光が薩摩藩へ帰ったあとの九月、朝廷は、幕府に攘夷実行の勅使を出す。長州・薩摩・土佐の三藩の尊王攘夷激派は、「七、八年か十年」後の攘夷ではなく、即時の「断然攘夷」のために、幕府へ勅使を出すことを建白した。こうして、朝廷のなかで勢いを得た三条実美《さねとみ》ら攘夷激派と、近衛忠房らの薩摩藩に近い幕政改革派、いわゆる公武合体派とがせめぎ合いをくり返す。

公武合体派の近衛らも譲らなかった。攘夷策を認めるが、攘夷実行の「策略〔実行方法〕」は幕府の「職掌〔権限〕」と認めさせて、つまり、激派の言う「断然攘夷」を実際には大はばに骨抜きにしてしまった上で、勅使三条実美を江戸へ送る。こうして将軍家茂は、江戸城で勅旨を受けとり、上洛を了承した。

三条らが出発した後、天皇は、薩摩藩士に依頼して、幕府に、「幕府に気の毒なり、しかしこれはやむをえざる事情ありて、さる事に至れるなれば必ず心配せざる様」伝えた。幕府に対して、心配ないと密かに伝えて二股を懸けたのであった。

激派草莽の組織

一八六二(文久二)年夏頃から、京都では、天誅《てんちゅう》という暗殺、脅迫がしきりに起こる。九条家家臣島田左近のように安政の大獄や和宮降嫁で暗躍したものへの報復と脅迫である。島田は、四条大橋に梟首《きょうしゅ》され、岩倉邸には幕府派浪士の片腕が投げ込まれた。かつて孝明天皇の意に従って幕府協調を進めた岩倉具視や久我建通らは「辞官落飾《らくしょく》」(隠退と出家)の処分をうけ、朝廷から追放される。幕府派の前関白九条尚忠や岩倉、久我らいわゆる和宮降嫁を推進した「四《し》奸二《かんに》嬪《ひん》」を排撃する天誅を使った運動は、驚くべきことに、摂家の近衛家からの薩摩藩への依頼によっていたことが、近年、明らかにされている。ところが、近衛家も、九条家の動向には疑心暗鬼、九条家側の配下の暴力におびえていた。公家の政争は、このように幕府派(前関白九条ら)と薩摩派(関白近衛ら)の陰惨きわまる暗闘も起こしていた。暴発や天誅は、京都御所という、貴種たちの閉塞した小世界でこそ威力をふるった。こうして、長州派の三条ら攘夷激派公家に朝廷の主導権が下降していった。

孝明天皇は、本心では、尊王攘夷激派に強い反感をもっていた。このころの手紙では、天皇は、幕府に「異心」がなく、「関東(幕府)と一つになりて」攘夷をめざすと述べ、「浪人に加担の堂上(公家)」は「暴論」、「朝廷の威光」にさわる、「薩長」も浪人の「同類」と批判していた。薩摩藩は、藩士の「暴発」を使って、長州藩は、激派草莽の「天誅」を使って朝廷を抑えていたのである。

長州藩の天誅の闇の世界を、京都藩邸の指導者、木戸孝允や久坂玄瑞が統率していた。一八六四年二月下旬の大坂本願寺南御堂《みどう》で起きた実例だが、長州藩尊王攘夷派は、天誅を実行し、なおかつ「攘夷の赤心《せきしん》〔いつわりのない心〕」を吐露して切腹した志士を「演出」していた。

大坂でイギリス向け綿花を買い集めて長崎へ向かい、長州上関《かみのせき》に寄港していた薩摩商船の船頭を暗殺し、首を持って上坂した長州藩在地の二人の無名の草莽がその主役である。深夜、久坂玄瑞や品川弥二郎ら十数人が、黒装束でガントウ（龕灯）をもって、木戸番を脅迫して南御堂の路地をとざし、船頭の首を梟首し、立札を立てた横で、本人の意に反して、その二人に「切腹させた」のである。実は、一度は長州へ逃亡した草莽を品川らが追跡、連れ戻していた。草莽は、肉親に、「切歯にたえない」が、もはや免れないので、「何卒々々、ご許容」と便りを残した。二人は、切腹の翌年、流行神《はやりがみ》「残念さん」になって、大坂市民の共感を集める。このように、激派草莽は、長州藩の尊攘運動の下部に組織されていった。図２－６（次頁）は、当時、描かれた二人の、実は「演出」された「赤心の死者」の様子である。

攘夷実行を迫る

一八六二年一二月に、上級貴族をはじめ二九人が任命された国事御用掛は、公武合体派と尊王攘夷派の衝突の場になる。その後、公武合体派の近衛忠熙が関白を辞職し、鷹司輔熙が長州藩の後押しを受けて関白に就任する。二月には国事参政と国事

図**2-6**　演出された「残念さん」．御堂筋に面する「南の御堂はん」は，大坂の真ん中．手前の男性・三〇歳，後ろ・二四歳，上関義勇隊小隊長と隊士（「大日本維新史料稿本」より，東京大学史料編纂所蔵）．

寄人《よりうど》が置かれ、それぞれ激派の姉小路公知《あねがこうじきんとも》ら、中山忠光らが就いた。その一方では、三月に将軍家茂が入京し、将軍後見職一橋慶喜、政事総裁職松平慶永とともに京に滞在する。そして御所では、橋本実麗《さねあきら》ら一二人の尊攘派公家が関白に「列参」（強訴）し、攘夷実行の決定を迫った。

長州藩は、加茂社と男山石清水《いわしみず》社に攘夷祈願行幸を建議、これも実行された。朝廷は尊攘派の運動に屈して、五月一〇日を攘夷実行の日と定めた。直筆勅書で、天皇は「皇国一端、黒土に成りそうろうとも〔焼け野原になってもかまわない〕」と記す。天皇は攘夷に執着していたのであり、勅書は激派を勢いづかせる以外のなにものでもない。将軍は一応これを請けた。

五月一〇日、下関を通航するアメリカ商船を長州藩尊攘派が砲撃し、攘夷を実行する。長州藩は、天皇の攘夷親征を要請し、大和行幸親征の命が出された。

京都が攘夷と天誅で熱狂した時期、長州藩の指導者周布政之助と高杉晋作は江戸にいた。長州藩が画策した京都の尊王攘夷運動は、京都盆地の熱狂だけでは理解できないのである。京都の尊王攘夷激派の中心には、京都藩邸政務方の木戸孝允がいた。

長州藩の御前会議

木戸は、自重であり、世評は、「逃げの桂」であった。

かつて長州藩の洋式軍制改革の中心にいたのが、木戸の同志、義弟の来原良蔵《くりはらりょうぞう》である。オランダ教官長崎海軍直伝習(海軍伝習所)に参加した来原は、洋式軍制改革の指導者であった。航海遠略策の政治活動に参加し、開国策の初志を通して、一八六二年、遠略策挫折の責をとり切腹した。どこの藩でも同様だが、武士の洋式軍制への動員は、きわめて困難で、まったく進まなかった。複雑な上下関係のある武士は、均質な兵士でつくられる洋式軍制にあわないのである。足軽による洋式銃陣も試されるが、正規藩士によって「序をみだるの弊あり」と潰されていた。しかし、安政の藩政改革で「軍用意一途」と決定したように、長州藩改革派指導部にとって、軍制改

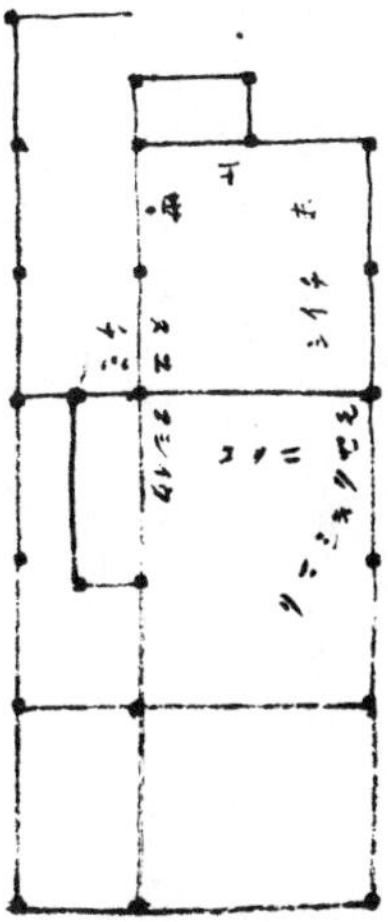

図 **2-7**　御前会議の座配図．筆者浦靭負，前家老は一の間左下のユ印(「浦靭負日記」より，山口県文書館蔵)

革こそが焦眉の課題であった。

六二年七月初旬、長州藩主毛利敬親《たかちか》は、京都三条河原町の藩邸で御前会議を開いた。ここで航海遠略策から、大きく一転して「破約攘夷」、攘夷実行の藩是が決定された。図2－7は、出席した家老浦靭負《うらゆきえ》の日記に記された、この「破約攘夷」を決めた御前会議の「座配《ざはい》」（座の順序）である。会議は、参加した家臣の賛否両論があい並ぶ勢いで、数日間紛糾したのである。

図の上方が一の間、下方が二の間で、上方、下向きに「上」とあるのが、大名の敬親である。藩主に向き合うように、二の間にひかえて並ぶ三人が、左から「コ」、「ク」、「マ」（一見して「ニ」に見える右の一字が「マ」）で、会議の真の主役である。「コ」が木戸孝允、江戸方右筆、当時は桂小五郎、「ク」は宍戸九郎兵衛、江戸方用所役（財務方）で、二年後に俗論派によって斬首される。「マ」は指導者周布政之助を示す。右下の末席の「リ」が来原良蔵、銃陣教授方で、一カ月後に自刃する、木戸の義弟である。

反対派は、二の間の左列で、上から縦にならんだ「コ」の井上小豊後、江戸方用談役らである。反対派の井上らも、周布派であるが、自重、中立派の実務の能吏たちである。数日間、拮抗、紛紛《ふんぷん》とした会議は、はじめ反対していた周布政之助が、「憤然として」立ち上がり、断固たる賛成意見を述べ、決したという。

しかし、この決着は、いわゆる「出来すぎ」である。紙型が戦火に遭って幻の書だった二巻本の『周布政之助伝』が戦後ようやく刊行され、右の御前会議の舞台裏が明かされた。この五日前、入京途中の周布を京都の木戸が迎えに出、二人は談合していた。実は、周布こそが藩是転換の必要を「密かに桂小五郎に吐露し」たのであった。感銘をうけた木戸の返書が収録されている。周布は、「破約攘夷」派であった。彼は、むつかしい会議を決するために、反対派を装い、一芝居打ち、ここというところで変身して会議を決めたのである。木戸も周布も、前章で見た外交を担った幕臣もそうであったように、会議の名手であった。

会議の議論で注目されるのは、中立派が「我が輩、少数者」だけによる決定に断固反対したことである。対して周布らは、「藩士一般」の意見を問う必要を否定し、「大義」によりこの場で決することを主張した。こうして「破約攘夷」の藩是は、藩主の「上意《じょうい》」または「御意《ぎょい》」として藩地へ送られた。「御意」は江戸時代の武士にとっては絶対である。このように「破約攘夷」の藩是は、攘夷戦争への長州藩士大衆の動員令でもあった。一八五八(安政五)年に御前会議を掟としたのはこういうことであった。

攘夷と改革

長州藩の藩地の状況は、京都とは様相が違っていた。俗論派(自らは正義党と自称した)の多数の藩士が尊攘藩是に対して「沸騰」し、流言や張り紙が出る。俗論派は、幕府を弁護し、洋式軍制改革にも頑強に抵抗していた。事件は、後に「御意《ぎょい》難《なん》事件」と呼ばれる。藩主の御意を非難する事件である。上意は絶対であり、当時、従わなければ処刑

（死罪）であった。だが上意に抵抗する「御意難事件」は起きるのであり、それが、武士の世界であった。

京都で攘夷祈願の行幸が行われ、尊王攘夷派が頂点に立ったかに見えた一八六二（文久二）年末、木戸は藩地へ戻ることを次のように主張するのであった。

今日より覚悟を決める必要がある。防長（長州藩）を「一天地」とする用意をしなければ、「真に他日、勤王の決戦」はできないと。ところが、木戸の手紙は苦渋に満ちていた。藩政改革の中心は、周布と高杉、そして木戸の三人である。三人は、帰国して、周布を「御国（長州藩）改革の大将」とし、「必死に尽力」しなければならない。それが成就しないときは、三人は「亡命」して「周旋」すると、高杉と密かに談じた。木戸たちは、藩政改革か脱藩亡命か、「両条の外、手段これなし」になっていた。こうして、下関での外国船砲撃がおこる。

奇兵隊の結成

周布たちは、攘夷戦を「卵を以て、石に投ずるに等しい」と認め、敗戦になるのを予想していた。「彼をして憤兵（奮い立つ兵）たらしめ、我（長州藩）をして死地（危機）に入れそうろうより外に、良策これあるまじく」という「策」であった。

一八六三年三月、高杉晋作は京都で剃髪（出家）し、藩から「十年の暇」を与えられる。名前を「東行《とうぎょう》」と改める。木戸孝允も同席し、周布が自分の甲冑《かっちゅう》を贈ると、高杉は「攘夷の戦い」があれば着けると甲冑に記した。前に見た手紙で木戸が申し合わせたように、高杉が藩地へ入るのは、四月上旬、攘夷戦の一カ月余前である。帰藩を呼びかけていた木戸自身が京都から戻ったのは、さすがに遅れて九月であった。

指導者周布政之助は、五月九日、辛うじて攘夷実行の前日に帰藩する。攘夷実行の翌日に、政務座筆頭、藩地の最高指導者、すなわち木戸が言っていた「改革の大将」となった。朝廷工作で忙殺される木戸はいないが、周布が帰って国元の体制は整ったのである。

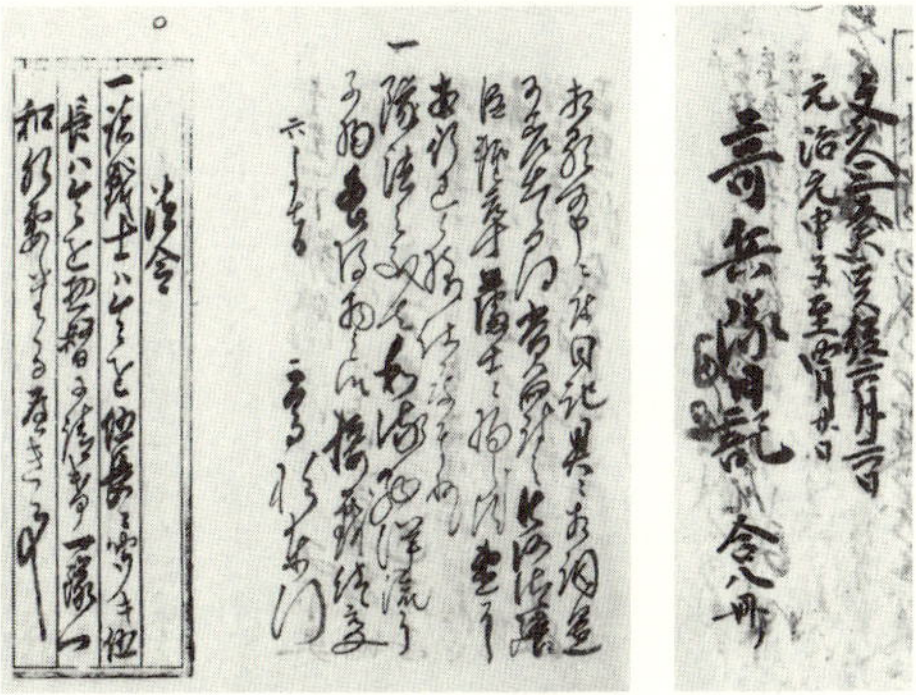

図 **2-8**　「奇兵隊日記」, 冒頭に近い部分. 右は表紙部分. 中ほど,「一, 隊法之義は, 和流・西洋流に不拘, 各, 得物を以, 接戦仕候事, 六月七日　高杉東行」とある(この部分, 高杉自筆, 京都大学図書館尊攘堂文庫蔵).

　攘夷期日の五月一〇日、下関海峡において、京都から戻った尊攘激派草莽が集まった光明寺党（光明寺を屯所にした）は、洋式船庚申丸（七八頁で紹介した大型コットル型帆船、全長四三メートル、砲八門）に乗り、暗夜のなかアメリカ商船ペンブローグ号にひそかに接近して砲撃を加え、同船を大破させた。同夜、下関の長州藩正規藩兵の本陣は動かなかった。引き続く欧米船砲撃戦では、欧米軍艦の反撃が強烈であった。六月一日、アメリカのワイオミング号は長州藩海軍を壊滅させ、五日、フランスのセミラミス号の陸戦隊は前田村を焼き尽くす。

呼び出された高杉は、七日、下関の尊王攘夷運動に参加していた豪商白石正一郎宅で、武士と庶民混成の有志隊「奇兵隊」を結成する。藩組織の常備「有志隊」として結成され、藩から「月俸」を支給される。いわゆる民兵でないところが重要である。久坂玄瑞らの藩医や軽卒から出た尊王攘夷激派、光明寺党三十余人が奇兵隊の原型となった。「陪臣、軽卒、藩士を選ばず、同様にあい交わり」、もっぱら各自の「力量」を重んずるという、藩の新しい軍隊の誕生である。農民、商人など庶民も加わってゆく。

和流、西洋流にかかわらず、それぞれの武器で戦う、と高杉は「隊法」に記したが（図2-8）、紹介してきた長州藩軍制改革の流れからいえば、反発の強力だった西洋流を認めさせることに重点があった。結成の九カ月後、奇兵隊はゲベール銃とミニエー銃を藩庁から借りだしている。ミニエー銃は、クリミア戦争でイギリス軍が初めて使用、ロシア軍を撃滅したライフル銃で、一九世紀中葉には、世界中に軍事革命をもたらしていた。

人民が兵士に——身分制社会の「革命」

前に紹介したように、長州藩では、これより五年前、五八年の安政の藩政改革で、洋式軍制の採用を決めていた。桜田門外の変の直前には、長崎と横浜で大量のゲベール銃を買い付けていた。しかし、藩士の抵抗は強力であった。藩士に先だって軽卒が軍制改革をすることも猛反対を受け、途中で廃止されていた。

以上の経過をみれば、奇兵隊の結成が十分に練られた「策」であることが分かる。この年、周布は、「人民は五六ヶ月執業仕らせそうらえば、一個の士とはあい成るべし」と「人民」を「士〔兵士〕」とすることを構想した。「人民」が兵士になり得る、これは身分制社会では、ほとんど「革命的」であろう。それを、敗戦の「死地」のなかで、強行する。高杉は、他ならぬ藩地の瀬戸内側で「十年の暇」で閉居して敗戦を待ちかまえていたのである。

呼び出された高杉は、上書を提出した。耐え難い「敗軍」に際し、正規藩兵の外に「有志隊」を調えることを決めるという。「好んで意外に出」るわけではなく、「やむを得ざるの窮策」と駄目を押すのだった。しかも、上書が差しだされた山口政事堂には、指導者周布がおり、藩主も帰っていた。周到な、真の意味での、政治の「策」だといえよう。

改革派は、こうして、下関外国船砲撃事件という「対外戦争」に無理やり突入することによって、ようやく武士と庶民混成の有志隊をつくりだした。それが、正規藩兵、正兵に対する奇兵隊の出発である。

第3章　開港と日本社会

藤島常興筆「馬関戦争図」(部分)．欧米の陸戦隊が接近している．右側は銃撃戦の一部(下関市立長府博物館蔵)．

1 開港と民衆世界

一八五四(安政元)年、日米和親条約が結ばれてからペリーは下田へ赴いた。下田の人々と、アメリカの水兵、将官、学者や画家との交流がはじまる。どのような交流が成立したのだろうか。

下田の異文化交流

従来のイメージは次のようであろう。日本は、鎖国した「閉じた社会」だった。欧米人に出会うと、「嫌悪と警戒」、「虚勢と恐怖」の感情が生まれたと。緊迫した状況を思い描いてしまう。しかし、事実はちがっていた。

図3－1は、『ペリー提督日本遠征記』に収録された、画家ハイネによる「下田八幡神社の図」(原題は「石橋と下田の寺院への入口」)である。ペリー艦隊に同行した画家たちは、現代でいえば写真家の役割を担っていたので、実物に忠実に描いている。

右側に画家ハイネ本人がいる。主人公は、下田の子供たちである。しゃがんでのぞきこむ子供。指さしている子供。母親と手をつないで画家に近づく子供。赤ん坊をおんぶした母親は、画家と会話を交わしているようにも見える。警護役の武士におわれて、逃げる子供は、囃《はや》しており、楽しそうだ。母親にも、「怖じ気」の気配がない。

従来の「嫌悪と警戒」のイメージは、近代の文明開化以降に生みだされたものである。欧米の文明に追いつこうという意識が、文化の後進意識、劣等感を生みだした。しかし江戸後期の人々は、そのような劣等意識とは無縁であった。第1章で見たように林全権や川路聖謨《としあきら》の外交には「怖じ気」がなかった。彼らのマナーはゆったりしており、堂々としていた。

図 3-1　下田八幡神社の入口．絵の右側と上部省略．政治亡命者ハイネは，随所に画家自身を描いた（『ペリー提督日本遠征記』挿絵）．

　絵の母親のように、女性の姿も、われわれの先入観とは違っている。

　ハイネは、一八四九（嘉永二）年、ドイツ革命でドレスデン蜂起に共和派として参加し、アメリカに政治亡命した画家である。当時二九歳、旅行記の中で下田の娘について言及している。

　ペリー最後の下田公式訪問の時は、町のほとんどの人が式場に来ており、軍楽隊の音楽をきいている。ハイネは、式場を抜けだして下田の娘たちと交流する。

　宴会場の「二、三の甘い菓子と美しい焼いたパン」

をハイネが娘たちに配ると、返礼に「花や果物」を受け取る。「この花を可愛らしい娘の髪に挿してやったり、果物をふざけ半分に娘たちに投げ与えたりすると、私には再びそれに倍する返礼が戻ってきた」。

物怖じしない江戸の女性

渡辺京二が『逝きし世の面影』で見事に描きだしたように、江戸の女性に対する欧米人の評価は高かった。「陽気で、純朴にして淑《しと》やか、生まれつき気品にあふれている」（ヒュブナー）。「感じがいいのだ」、「物怖じしない」（ベルク）。江戸の女性が物怖じしないというのは既成のイメージとずれるが、欧米人のだれもが認める事実だった。「中国の女とちがう、いささかの恐怖も気後れも示さない」（フォーチュン）。

下田の混浴公衆浴場を描いた有名なハイネの絵（図3-2は部分図）は、ハイネの旅行記に記されているように、彼自身浴場に入って描いたもので、「外人が入ってきても、この〔男女の〕裸ん坊は、一向に驚かない」。男女を問わず、裸体も恥ずかしいと感ずることの少ない開放性が、江戸庶民文化の特質である。

一八五七（安政四）年夏、ハリスは下田の温泉に入浴中に、次のような経験をした。

私は、子供をつれて湯に入っている一人の女を見た。彼女は少しの不安げもなく、微笑みをうかべながら私に、いつも日本人がいう「オハヨー」を言った。彼女の皮膚はたいへんんきれいで……

江戸庶民の女性に「怖じ気」はなく、陽気で、気品があった。欧米人を自然に受け容れた。

図 **3-2**　下田の公衆浴場(『ペリー提督日本遠征記』挿絵).

こうした庶民の女性の片鱗は、宮本常一『忘れられた日本人』の「女の世間」のなかで聞き取られている農村女性の、かつての「くったくのなさ」、「男まさり」、「陽気さ」に、広範にのこされていたものだ。

また、同じころ、ハリスは、下田を散歩して、次のように言う。「容貌に窮乏をあらわしている一人の人間をも」見ていない。「子供たちの顔はみな「満月」のように丸々と肥えているし、男女ともにすこぶる肉付きがよい、彼らが十分に食べていないと想像することは些《いささ》かもできない」と。

江戸時代の幕府を「半未開」とし、そのアジア的専制支配と「呻吟《しんぎん》する農民」を記述するのが、欧米人のパターン化した日本民衆像だった。ハリスの観察も、日本を半未開と見ることでは徹底していた。だが時折、このように違う感想が出てくる。

初代イギリス公使オールコックの場合も同じである。オールコックは、下関四国連合艦隊砲撃事件をリードした対日強硬派であり、日本を「半ば未開の東洋の一国民」と見ていた。だが時に違う観察が紛れ込む。一八六〇(万延元)年、富士山に登頂した帰り道、伊豆の韮山《にらやま》あたりの「小さな居心地のよさそうな村落や家々」を通りかかった時の彼の述懐である。

「封建領主の圧制的な支配や全労働者階級が苦労し、呻吟させられている抑圧について」、「かねてから多くのことを聞いて」いる。だが「これらのよく耕作された谷間」で「ひじょうなゆたかさのなかで家庭を営んでいる幸福で満ち足りた暮らし向きのよさそうな住民」を眼にすると、これが「圧制に苦しみ、苛酷な税金をとり立てられて窮乏している土地」だとは「とても信じがたい」と(図3-3)。

もちろん、貧窮した農村地域の描写も散見される。当時の日本は、地域差が大きかった。しかし圧制的支配、そのもとで「呻吟する農民」という欧米で普遍的なアジア的専制論について、実際の日本の農村を見たオールコックは疑問を感じることになった。

従来の日本の江戸時代史研究も、欧米のネガとしてつくられたアジア的専制の枠組みにとらえられていたのだが、一九八〇年代ころから、ようやく既成の枠組みから解放されつつある。

江戸民衆の訴願

近世後期には、百姓の訴訟が盛んであった。一九世紀中頃、河内国の旗本領一〇カ村の記録「願訴訟留《ねがいそしょうどめ》」を調べた熊谷光子によれば、約一カ月半の間に、代官への訴願は一四六件、うち幕府大坂町奉行所への公訴が一一件であった。一日あたりの訴願数、三件以上という多さである。このように江戸民衆の「訴願する実力」は高い。

民衆の訴願が組織的に行われたのが国訴《こくそ》である。綿や菜種などの自由な流通を求める運動で、畿内が舞台であった。一八二三(文政六)年、摂津・河内の村々は、一〇〇七カ村という一大訴願運動、国訴を組織する。畿内は、幕府領、大名領、旗本領が入り交じっている地域である。村々を大連合に組織する百姓たちの方法は、私たちの予想よりはるかに進んだものだった。

図3-3　「熱海の生活(妻と仕事から帰る農民)」. オールコック述懐のところに挿入された自筆スケッチの一つ(『大君の都』).

郡のなかで領主を異にする庄屋たちは、領主の違いを越えて、郡ごとに寄り合いを持ち、郡の代表者である「郡中惣代《そうだい》」を選んだ。まだ領主別でないと代表を選べない地域もあり、そこでは領主ごとに「惣代庄屋」を選んだ。そうして「郡中惣代」と「惣代庄屋」が、大坂へ出て寄り合う。これが、「大参会」と呼ばれ、訴願の指導部になった。一八二三年の場合は、五〇人が大坂の「大参会」に集まった。その三〇年後、一八五四(安政元)年には、同じ摂津・河内の村々一〇八六カ村が集まって、「大参会」の惣代四五人を選んで国訴を組織し、その一〇年後の六四(元治元)年には一二六二カ村が、惣代五四人を立てて国訴を組織した。これらの大訴願運動は、あくまでも合法的な運動として展開した。

注目すべきことに、「大参会」に出て行く「郡中惣代」と「惣代庄屋」には、村々から次のような「頼み証文」が差しだされた。

「各方を惣代にあい頼みそうろう上は、たとえ中途にて、いかように成り行きそうろうとも、違背申すまじく」(一八二三年の例)、と。

村方が、惣代にどこまでも共同責任をとる旨、文書で保証したのだった。「頼み証文」を見いだした藪田貫《やぶたゆたか》は、代表と村々の、証文による委任関係には「代議制の精神」があると評している。運動経費についても、この頼み証文で詳しく指定され、一〇〇〇カ村規模の百姓たち全部の家別と村別に厳密に割り当てられた。惣代の背景には、畿内の村々がしっかりとあった。こうして約一世紀を要して、近代の代議制の前段階になる訴願運動、国訴が成熟したのである。

新しい百姓一揆像

圧政に呻吟する農民の暴力的な蜂起という百姓一揆像も、事実と違っていることが分かってきた。こうした研究は、蜂起した百姓の持ち物(「得物《えもの》」)の研究から始まった。持ち物は竹槍といわれてきたが、竹槍はまれで、通例は鎌である。鎌は、武器ではなく、百姓の誇りあるシンボルだった。百姓一揆は「あえて人命をそこなう得物はもたず」、非暴力的蜂起という点が、江戸日本に普遍的な原則であった。事実、江戸時代、三二〇〇件ほどの一揆のなかで、竹槍による殺害の事例は、わずか二例だけだった。

一八四〇(天保一一)年、庄内藩で三方領地替え反対一揆が立ち上がる一部始終を描いた注目すべき絵巻物『夢の浮橋』が、佐倉市の歴史民俗博物館で二〇〇〇年に展示、公開された。領主の転封《てんぽう》(国替)に反対した一揆で、幕府へ駕籠訴《かごそ》を行い、地元では数万人の「大寄り合い」を組織して、幕府の転封令を撤回させた。図3-4は、江戸に赴く百姓が集まって、駕籠訴の方法などを決め、神文《しんもん》で誓約しあう場面(部分図)で、図3-5は、江戸城へ登城する老中らに、百姓の代表が二、三人ずつ、駕籠訴をしているところである(部分図。大名登城中の事件が下城のシーンになっているのは原図の解説も断っているようにデフォルメである)。図3-4の庄内で参集した上右端の二人(彦四郎と信右衛門)が、図3-5の中央下、井伊直亮《なおあき》老中へ駕籠訴をした同じ二人である。その時、同時に地元で、数万人の「大寄り合い」、一揆が催された。

従来、駕籠訴(越訴《おっそ》のひとつ)は重罪、本人は獄門といわれてきた。だが最近の研究によれば、駕籠訴は、幕府によって採り上げられることが多く、訴人は「急度叱《きっとしかり》」程度の軽い罰で釈放されていた。駕籠訴は、要求に道理があれば、事実上、認められていたのである。

国訴は、幕府に命令を触れ流すことを要求することがあり、幕府もその要求にしばしば従っ

図 **3-4**(上)「塩越，渡部屋仁右衛門宅ニて連中，落ち合い，一同，神文の図」．
図 **3-5**(下)「丑〔1841，天保 12 年〕正月二十日，川北一番登り十一人，御登城先へ御訴訟の図」．共に『夢の浮橋』(致道博物館蔵)．

た。国訴の訴願の趣旨に沿い、あるいは訴願の文章そのままを触れ流した。また、政策の実施に先だって幕府から村役人に諮問が行われ、その回答、献策を踏まえて政策が実行に移されたケースも大和の国訴で見いだされる。これは事実上、村役人たちの幕府の政策形成への参加であった。江戸幕府の支配の強さは、訴訟を厳禁し、百姓を力で圧倒したところにあるのではなかった。訴願を受け付け、献策を容れる「柔軟性のある支配」に、その持続の秘密があった。

畿内のように商品経済が発達し、幕府領、大名領、旗本領が入り交じり、支配の輻輳《ふくそう》したところほど、国訴のような先進的な民衆運動が発展していた。そして幕府も、大組織の民衆運動と対峙し、彼らの献策を受け容れるシステム(慣行)を熟成させることで支配を維持していた。薩長のような全域一大名領の支配で、村役人や郷士を一応は整然と組織しているのとは対照的である。第1章で見たような幕臣、川路や水野(二人は民政経験が豊か)らの柔軟、かつ巧みで論理的な交渉能力は、こうして培われた。

2　国際社会の中へ

貿易開始以後の日本

一八五九(安政六)年六月、横浜と長崎、箱館の三港で自由貿易が始まった。日本の輸出超過、つまり貿易黒字で始まる。はじめて丸一年を経た翌年も、輸出四七一万ドル、輸入一六六万ドルとやはり輸出が多かった。七年後の六五(慶応元)年には、輸出一八四九万ドル、輸入一五一四万ドルで、一転、輸入が急増した。輸入はその後も増え、維新直前の六七年は、輸入二一六七万ドル、一方、輸出は一二一二万ドルと停滞するが、その後は次第に増加の傾向をたどる。このように、六七年から日本の輸入がやや超過に転じたが、貿易全体はおおむね順調に進展した。とくに貿易黒字に転じた欧米側にとって、予想を上回る順調な貿易であった。

一方、中国の貿易は、生糸と茶の輸出が順調だったが、欧米の輸出主力商品である綿布が、日本とちがい、開港場周辺以外では売れなかった。中国在来の「土布《どふ》」の抵抗力が強かったことが一因である。イギリスは、巨額の貿易赤字を累積したため、大量のインドアヘン(ベンガルアヘン)を密輸出する。

日本からの輸出の首位は当初から一貫して生糸で、輸出総額の五割から七割を占めている。第二位が茶で、一割前後であった。日本側の輸入の第一位は「大英帝国のエンジン」と呼ばれた機械織り薄手木綿、「金巾木綿」、そしてこれにほとんど劣らなかったのが毛織物である。また幕末後期に、艦船、銃砲など欧米の武器も輸入されたが、武器輸入の意味については後に述べよう。輸出入ともに貿易相手国は、圧倒的に大英帝国最盛期のイギリスで、これは以後も変わらない。

貿易最初期の現象として、金貨流出問題がある。日本の金と銀の交換比率が、国際水準に比べて極端に金安(約三分の一の安値)であったために、大量の日本金貨が国外に流出した。翌年、幕府の貨幣改鋳(万延改鋳)によって、金貨流出は止まる。突然の貨幣改鋳が、物価高騰をもたらした。かつては、流出金貨、八〇万両という推定もあり、開港による経済の「混乱」が強調されていたが、現在は、約一〇万両の流出で、激しい、しかし短期的な現象と推定されている。

生糸売り込み商人

横浜が貿易総額の七割以上を占めた。外国人居留地が区画され、初期には、中国のアヘン貿易で最大の巨利をあげたジャーディン・マセソン商会などの大商会が目立ち、やがて中小の商社に入れ替わる。日本商人には商人町が設けられ、江戸の大商人が半ば強制されて出店したほか、幕府は、全国に出店の申請を募った。それに応じたのが、関東周辺の中小の商人たちである。貿易開始前に商人町予定地は満杯になってしまった。

横浜に集まった生糸売り込み商人の典型は、甲斐国八代《やつしろ》郡の中程度の豪農、甲州屋篠原忠右衛門である。五〇歳、隠居の歳にもかかわらず横浜に出て艱難辛苦《かんなんしんく》を耐え、郷里の生糸の売り込みで商機をつかむ。出店申請書には、「御国内いずれの地へも、引き合いそうろう諸品、商売向き少々ずつ、あい始め居りそうろう」ところ、「右ご交易の趣、実に幸いを得」と記している。紹介したように、在方商人は、直売り、直買いの活発な商いによって、国内市場をつくりつつあった（図3－6）。開始される外国貿易は、「実に幸いを得た」好機であった。

島崎藤村の名作『夜明け前』は、木曾中山道の馬籠《まごめ》宿にもこうした動向が及んだことを描いている。美濃の四人の商人が「横浜へとこころざして」馬籠を立つのは、物語の第一部のはじめの方、一八五九（安政六）年初冬（貿易開始の四カ月後）である。「かなりの冒険とも思われた」が、「見のがせない機会だった」。横浜の貿易商は持参の生糸に「前代未聞の相場」をつけた。

日本の条約では、外国人は居留地以外での商用をみとめられない。そこで各地の生糸売り込み商が横浜に殺到し、外国商人の内地侵入をめざす勢いを防いだ。生糸売り込み商の巨頭が武蔵国渡瀬《わたらせ》村の在方絹商人出身の原善三郎、屋号亀屋である。原は九〇年代には巨大財閥にならぶ所得を得て、横浜市会議長、そして衆議院、貴族院議員に就いた。

大名も生糸貿易に携わった。たとえばかつて条約承認問題の際、条約拒否意見を貫いた四大名の一つである川越《かわごえ》藩は、一転して地元生糸を横浜商人に専売し、巨利を得る。それは「前橋糸」と呼ばれ、横浜から輸出される生糸の実に数十パーセントを占めた。

人口一人あたりのイギリス綿布の輸入額でも、日本は中国の二倍以上で、貿易の影響は日本の内陸部まで行きわたる。

輸入では、三都(江戸・京都・大坂)の大商人と横浜商人のあいだの為替取り引き、江戸の発達した信用システムが

図3-6　オールコックのスケッチ．商人の二例（『大君の都』）．

活用された。横浜の引き取り商(輸入商)は、信用を背景に巨額の現金取り引きで買い付けをし、外国商人の内地侵入を断念させる。このように、外国商人の内地侵入を防いだのは、第一に、活性化していた列島各地の在方商人であり、第二に、江戸日本の発達した信用システム、第三に、開港場から一〇里四方外の遊歩を禁じた外国人に厳格な条約であった。

生糸輸出によって、売り込み商と三都商人に巨大な資本が蓄積される。一方、日本在来の厚手木綿は、イギリス機械織り薄手木綿の圧迫を受け、地域によっては衰退、あるいは衰滅した。しかし、木綿織物生産の発達した地域で、織りと紡《つむ》ぎが分業化していたので、「織」に専業化した地方において、維新後に、輸入綿糸を使って在来の織物工業が勃興した。こうして日本の綿業は、地域によって盛衰を異にしつつも巧みに貿易に適応し発達してゆく。

従来のように貿易の開始を、在来産業が壊滅させられ、社会に「不安と混乱」が巻き起こったと見るのは一面的に過ぎる。貿易初期について見ても、生糸売り込み商人の盛んな活動に代表されるように、貿易への参加が広範にみられ、それが日本の独立の真に広大な基盤になった。

イギリス海軍と幕府

一八六二(文久二)年八月の生麦事件で、薩摩藩士にイギリス商人が殺害されたことは前章で触れた。たまたま横浜にイギリス軍艦三隻が入港しており、外国商人の集会で即時報復の声がでる。

しかし、イギリス代理公使ニール(オールコック公使は帰国中)は、「日本と開戦することに等しい」と拒否し、海軍のキューパー提督にいたっては、問題に関与することすら断った(『一外交官の見た明治維新』)。イギリス外交部は日本に対して慎重であったし、香港を本部にする、極東のイギリス海軍は外交部以上に慎重であった。

ところが、本国外務省から生麦事件についての訓令が一八六三年一月に届く。将軍へは、責任者として賠償金四〇万ドル、薩摩藩へ一〇万ドル、拒んだ場合、幕府には海軍による海上封鎖、薩摩藩には艦隊で鹿児島へ向かう、という内容であった。もともと慎重だった本国外務省の訓令は、賠償実現に限定された要求なのだが、その強硬さは、イギリス日本公使館をもたじろがせた。当時、中国で太平天国の戦いが勢いを弱め、この時、イギリス艦隊が横浜に入港してきたので、イギリス外交部は約一〇隻の艦隊の圧力で幕府に要求をのませようとした。

しかし、海軍のキューパー提督は、慎重であった。日本の三港の安全を同時に保証する戦力はイギリス海軍には「とうていない」(キューパー)のである。こうして、日本現地のイギリス側の本音は、日本との戦争はなんとしても避けるというものであった。

イギリス外交部は、期限を切って回答を求め、不満足な場合は、強硬手段(海上封鎖)に訴えると通告する。軍事力の格差を知る幕府は、イギリスの要求を受け容れたが、支払条件などで頑強に抵抗し、期限をのばしにのばした。イギリスも実際には延期に応ずる。戦争開始の布告あるいはうわさが飛び、横浜や江戸の住民が避難の動きをみせたこともあった。

外国奉行は、要求に応じられない「真の問題」は攘夷派大名の反対があるからだと説明する。英仏の外交部は、攘夷派大名を倒すために軍事援助の用意があると申し出た。外国奉行竹本正雅は、即座に「幕府は自分の手でかれらを屈服させたいし、且つ屈服させるつもりである」と拒否する。

激しい応酬があった日英仏の外交交渉の様子は、英仏外交文書を駆使した萩原延壽《のぶとし》の大作『遠い崖』に再現されている。江戸と横浜を往復し、戦争回避の外交交渉に孤軍奮闘した外国奉行竹本は、当時は目立たなかったが、有能で誠実な幕臣であった。そのころ、江戸で外交の現場にいた旧幕府外国掛出身で、のちに明治政府の外交官になる田辺太一《たいち》は『幕末外交談』で、そのように回顧している。

日本の一部が「黒土」になっても

一八六三(文久三)年五月、ようやく賠償金支払い交渉が分割払いでまとまってゆく。そこに朝廷から届くのが攘夷実行の勅であった。そのため、突然、償金支払い停止が、幕府からイギリス側に通告される。イギリス外交部は、海軍の手に事態をゆだね、横浜は緊張の極に達した。幕府側は、事態をありのままに説明し、イギリスは、事態の解決の見通しと期限を問い、再度、英仏共同の軍事援助を提案するが、幕府はやはりことわった。

攘夷実行期日の前日(五月九日)、幕府は、朝廷の制止を無視して賠償金全額を一度に支払い、そして、横浜鎖港の外交交渉にはいることを宣告した。

生麦事件償金支払いを知った京都の孝明天皇が「震怒《しんど》」し、自筆の勅書を幕府に発する。「皇祖神に対したてまつり、申し訳これなく」、「たとえ皇国、一端、黒土になりそうろうとも、開港交易は決して好まず」、と。開港交易は、皇祖神(天皇の先祖)に対して申し訳ないという。

日本の一部（江戸）が「黒土」（焼け野原）になっても、開港は拒めと。続く文章では、「不心得の儀、唱えそうろうもの」には、「きっと沙汰」あるべしと。「不心得」とは、江戸の外国奉行竹本らのことである。ついで、戦争が始まると予期し、風日祈宮《かざひのみのみや》（伊勢市。蒙古襲来に神功があったとの伝説をもつ）に神助を祈った。かつて堀田が言った「正気の沙汰とは存じられず」という事態がくり返されたのである。

イギリス艦隊七隻が、本国外務省訓令に従って鹿児島湾に入る。七月初旬、暴風雨のなか二日間、砲撃戦がつづいた。旧式砲ながら薩摩藩砲兵は、実戦を想定しなかったイギリス側に戦死者一三名という損害を与えた。一方、イギリス側は、一一〇ポンド・アームストロング砲を含む砲撃で圧倒的威力を示し、鹿児島市街を焼失させる。アームストロング砲は後装施条式の巨砲で、イギリス海軍は、薩英戦争で初めて実戦に使用した。

戦況自体は、イギリス軍の被害も大きく、勝敗不明という評価も出るほどである。代理公使ニールが、兵の上陸を要求したのに対して、キューパー提督は、「一兵の上陸」も拒否する。イギリス海軍は、「遠征と居留地保護」の両方を同時に実行できる軍事力がないと、作戦に一貫して抑制的であった。

植民地化の危機について

従来から、幕末日本の「植民地化の危機」の程度を、どのように評価するかについては長い論争がある。ここでは、論争史には触れないが、紹介したように、イギリス海軍が対日戦争をおこすことに特に慎重であったことが重要である。従来の論争では、イギリス海軍と外交部の意向が十分には解明されていなかったので、対外的危機も過大に評価されてきた。たとえば、幕末日本の「植民地化の危機」論争に、大きな影響を与えたものに、ロシア軍艦対馬占拠事件がある。ここでその要点を見ておこう。

時期が少しさかのぼるが、一八六一（万延二）年二月、ロシア軍艦一隻が、対馬の芋浦崎に来航、兵舎などを建設し、抗議する対馬藩に永久租借を要求した。外国奉行小栗忠順《ただまさ》が対馬に派遣され、イギリス公使の抗議もあって、ロシア軍艦は退去した。

ロシア軍艦の行動は、箱館のロシア領事も知らなかった海軍独走によるもので、明白な条約違反以外のなにものでもなかった。事件が「植民地化の危機」論争で必ず引用されるのは、日本に圧倒的な影響力をもっていたイギリス公使オールコックが、「もし、露艦が、同島（対馬）から退去を拒む場合は、英国自身、これを占領すべきである」と言明し、イギリスが「日本占領」の意図を示したと、戦前の文部省維新史料編纂会編『維新史』で説明されてきたからである。

実は、イギリス東アジア艦隊司令長官ホープは、オールコックの言明に賛成しなかった。司令長官は、日本の開港場が中立港として利用可能であれば、経費も防衛費も要らないのであり、「日本の領域のどんな一部の一時的占領でさえ」得策でない、という見解であった。イギリス海軍は、中国の開港場を占領したために、経費と防衛費負担に苦しんでもいた。

オールコックの対馬占領意見も、ロシアが退去しないのであればというロシアへの「対抗処置」であり、また、その目的は「それ〔対馬〕は、中国の港とのわれわれの巨大な貿易の大きな保護手段となるでしょう。そしていつでも、北京の宮廷でのいかなる裏切り行為に対しても絶えざる威嚇《いかく》となるでしょう」というように、日本での権益獲得のためではなく、巨大な中国権益保護のためなのである。それをも軍事作戦を統轄する海軍当局が認めなかったわけである。（当時の中国と日本の人口比を、分かりやすいように、現在の日本国内に当てはめると、日本全国に対する九州に当たる。近代東アジアの国際関係を考えるには、東アジアを俯瞰《ふかん》した日本のこうした地勢的な位置も、念頭に置いておく必要がある）。イギリス本国外務省の方針も、ロシアにこの地域の相互不可侵を提案するなど、領土占領意見ではなかった。このように『維新史』は、植民地化の危機を過大に説明していた。

最強の海軍国イギリスは、日本周辺海域でのロシアとの勢力均衡、大陸国家中国への橋頭堡としての海洋国家日本の地勢的位置、日本の高いレベルの国家統合と三つの条約港防衛の困難さ、そして順調な貿易の推移などを配慮しており、これらが、イギリスによる日本領土植民地化という現実的危機を相当に小さくしていた。

攘夷と政変

一八六三(文久三)年八月、孝明天皇攘夷親征、大和行幸の勅が出る。これより前、五月には、下関での外国船砲撃で長州藩が惨敗し、七月には、薩英戦争で鹿児島市街が焼失した。その一方で、京都の攘夷運動は、最大の盛り上がりをみせる。

しかし、攘夷運動には亀裂が発生していた。孝明天皇は攘夷という点において変わらないのだが、平公家を加えた激派が朝廷の実権をにぎり、天皇の権威を踏みにじる勢いになっていた。天皇は、「下威、盛んに、中途の執り計りのみにて、偽勅の申し立て」があると、薩摩藩の島津久光に訴え、「有名無実の在位」、「悲嘆至極」と激怒していた。朝廷の秩序を乱した激派が天皇の逆鱗《げきりん》にふれたのである。天皇が、激派追放(「姦人掃除」)を要請する「内勅」を、久光に密かに送るのは五月末のことであった。

薩摩藩の大久保利通らは、勅命であっても「草卒の上京」はできないと、冷静に見ており、動かなかった。天皇の頑固な攘夷論こそが攘夷激派を容れてきたのである。攘夷実行の際には、紹介したように天皇は「皇国、一端、黒土になりそうろうとも」とまで述べた。その言は、攘夷激派への激励以外のなにものでもなかった。これに反して、薩摩藩は、イギリス艦隊によって、城下市街をまさに「黒土」にされ、講和を求めていた。

薩摩藩は上京の要請は受けなかったが、京都藩邸で激派追放の計画を用意した。計画は、政変の五日前、京都守護職に任じていた会津藩に伝えられてから、急速に具体化する。天皇の義兄で、尊王攘夷派と対抗してきた朝彦《あさひこ》親王(中川宮)も加えて、計画がさらに練られ、「姦人(激派)掃除」を待望していた天皇もこれを認める。

一八六三年八月一八日、真夜中すぎ、朝彦親王と前関白近衛忠煕《ただひろ》、京都守護職松平容保《かたもり》らが御所に入り、ついで早朝に会津藩兵や薩摩藩兵らが御所の六門を固める。会津藩兵は一五〇〇人で政変の兵力の中心になる。対して、兵を上京させなかった薩摩藩兵はわずかに一五〇人の兵力で参加した。宜秋門《ぎしゅう》(公卿門とも。御所西面中央)では、公家の名前に「正」と「暴」と印を付けた書面が用意される。周到に準備された宮廷クーデターであった。

長州藩と尊王攘夷激派は、京都から追放され、三条実美、東久世通禧《みちとみ》、沢宣嘉《のぶよし》ら七人の尊攘激派公家と長州藩兵以下、千余人が長州へ背走した。

激派の敗北

尊攘激派で土佐出身の草莽、吉村虎太郎らは、大和親征行幸に呼応するために、天誅組を結成した。公家中山忠光を擁して、河内国の村役人らの参加も得て、八月に大和五条幕府代官所を占拠し、年貢半減を布告する。しかし、蜂起翌日の八月の政変で情勢が一変、天誅組はなおも十津川郷士を集めて高取城を攻撃したが、諸藩兵に敗北する。十津川郷士も離反し、中山は長州へ逃れ、吉村らも戦死した。

一方、但馬《たじま》(兵庫県北部)の豪農中島太郎兵衛や北垣晋太郎は、農兵を組織していた。八月の政変後、平野国臣ら尊攘激派が、公家沢宣嘉を擁立し、長州藩奇兵隊幹部で脱藩した河上弥市も加わって、天誅組に呼応する計画を立てる。一〇月に生野幕府代官所を占拠、やはり年貢半減令を布告し、豪農が農兵二〇〇〇人を動員した。しかし、諸藩に包囲されると、沢ら幹部の多くが早々に脱走してしまう。残った河上たちは、逆に農兵に「浪士めら」と殺害された。動員された農兵は、地域の豪農に対して激しい打ちこわし一揆を起こしたのだった。

大和攘夷親征にまで至った京都の尊王攘夷運動は、このように打ちこわし一揆で終末を迎える。郷土を防衛する民衆運動は、植民地化の危機が現実に迫っていたのであれば、中国の太平天国の戦いや、朝鮮の甲午《こうご》農民戦争のように、中間層、下級武士や豪農を中心として、地域社会の対立を乗りこえて、大きな盛り上がりをみせただろう。しかし、一八六三年当時は、長州藩の側が外国艦船砲撃を仕掛けていたのであり、薩摩藩では、イギリスとの講和の準備がすすんでいた時期である。破約攘夷による戦争の危機はあったが、危機は日本の側が呼びこんだものである。郷土防衛の武力蜂起を要請する、具体的な軍事的侵略の危機、「外夷襲来」が迫っていたとはとてもいえない。

たしかに、蜂起事件に参加した豪農や豪商ら地域の草莽たちは、政治への参加を求めて活動した。前述したように、幕府領では、江戸時代後期、村役人たちが郡中寄り合いをもって、国訴を起こすなど、在地の運動が強力に展開していた。

ただし、このころの地域の活性化が、もっぱら尊王攘夷運動へと向かっていたということではない。紹介したように、地域の民衆には、はるか横浜の生糸貿易への参加をめざし、開国という新しい状況を、「実に幸いを得」(篠原忠右衛門)と、受け容れる在地商人の動向などが広範にみられた。彼らの背後には、共同出荷で横浜生糸売り込みを支える地域の民衆(豪農豪商を含めた)の活発な経済活動があった。彼らこそが、開国をゆっくりと定着させ、外国商人の侵入を断念させ、日本の民族的独立の、広大な基盤をつくり、日本の植民地化の危機を防いだのである。

3　攘夷と開国

参予会議　八月政変後、島津久光の提案によって、朝廷に大名の参予会議が設けられた。関白も、鷹司輔熙《すけひろ》から幕府派で将軍家の縁家でもある二条斉敬《なりゆき》に替わる。一橋慶喜、松平容保(会津)、松平慶永(越前)、山内豊信《とよしげ》(土佐)、伊達宗城《むねなり》(宇和島)、島津久光(薩摩)の旧一橋派を中心とする六名の武家が参予に任じられ、一八六四(文久四・元治元)年一月から小御所《こごしょ》に列席し、公家側の下問にこたえるという形で、三月まで、八回、武家が加わった朝議が開かれた。

しかし、天皇から横浜鎖港が諮問されて、参予武家のあいだの対立が起きる。久光らは、鎖港も列強との戦争を招きかねないと、開国方針でこたえる。しかし慶喜は、横浜鎖港をあえて請ける(後述)。しかも慶喜は、久光、慶永、宗城の主要な三人の参予に対して、「天下の大愚物、大奸物」とののしって参予会議そのものをぶちこわした。

慶喜が、対決姿勢をとったのは、前々年、出兵上京を強行した久光に対する幕閣の不信感がなお強かったからである。しかも、薩摩藩は、洋式軍制改革の莫大な費用のために、密かに天保通宝を私鋳し、その額は二五〇万両に達したという。また、紹介したように、同藩は生糸や綿花その他の横浜や長崎への大規模な密貿易も展開しており、底辺で、幕府と薩摩藩の対立が深刻になっていたのである。

一方、孝明天皇は、政変以後の勅が「真実の朕(天皇)の存意」であり、以前のそれは「真偽不分明」と述べ、従前の勅を取り消す発言すらした。政変以前、「(激派を)無法の処置とは思っていたが、「多勢に無勢」で、「朕のごとき愚昧鈍言《ぐまいどんげん》、とても申し伏せそうろう力なく、徒然《つれづれ》に付き合い」と述べるのであった。「徒然に」ではあっても、天皇は激派の要請を承諾したのである。天皇には対立する参予の武家を統合する政治的資質を期待すべくもなかったのである。

同年(一八六四)六月には、京都河原町三条の旅館池田屋に集まった約三〇名の尊王攘夷激派を新撰組が襲撃し、多数の死傷者がでる。池田屋事件に反発した長州藩の尊王攘夷派は、奇兵隊につづいて武士と庶民混成で結成された遊撃隊などを率いて上京する。七月、御所外郭の西側の蛤門《はまぐりもん》で長州藩と薩摩藩、会津藩が戦い、慶喜が戦場で総指揮をとった。この蛤御門の変(禁門の変)で、長州藩兵が撃退された。この時、京都洛中、二万八〇〇〇軒が焼失し、下京の町々はほとんど全焼、「鉄砲焼け」が後代、語りつがれた。

四国連合艦隊下関砲撃事件

下関で攘夷砲撃をした長州藩に対して、蛤御門の変の半月後、「いかなる妨害を排除しても、条約を励行し、通商を続行する」という欧米の「決意」を示すために、イギリス艦隊を主力として、フランス、オランダ、アメリカの四カ国の軍艦一七隻、砲二八八門、兵員五〇〇〇名余の「無敵の大連合艦隊」(アーネスト・サトウ)が、下関東方、周防灘の姫島に集結する。

戦闘は三日間で終息した。イギリス艦隊、最新鋭アームストロング砲の一一〇ポンド巨砲は、周防灘九州側の海上から、四キロ以上はなれた長州藩の砲台に正確に命中した。上陸した陸戦隊が捕獲した長州藩の大筒のほとんどが旧式の青銅製カノン砲だった。

長州藩諸隊の奇兵隊が中心になって戦った。奇兵隊の戦意は高く、上陸して激しい銃撃戦に加わったサトウは、長州藩は「勇敢な敵」で「頑強に戦った」と評価する。奇兵隊のゲベール銃に対して、連合軍は、新鋭のミニエー銃(ライフル銃)を持ち、ライフル銃は、命中率、威力とも問題にならない差があった。死傷者数は、双方、ほぼ同数の七十余人、しかし戦争は、砲台のすべてを占拠された長州藩の完敗であった(章扉図参照)。

講和交渉に、羽織の下は白装束の、家老を詐称する高杉晋作が、イギリス旗艦ユーリアラス号の後甲板に「悪魔《ルシフェル》のように傲然《ごうぜん》と」登場する。しかし高杉は、「だんだん態度がやわらぎ、〔欧米側の〕すべての提案を、何の反対もなく承認してしまった」(サトウ)。長州藩は、周布や木戸、高杉がかねて構想していたように、開国策に急転換するのである。

幕府は征長令を出し、西国二一藩が長州へ進発した。長州藩内で弾圧されていた俗論派が反撃に転じ、藩政の実権をにぎり、藩の指導者、周布は九月下旬に自刃し、三家老も斬首され、尊攘激派指導部の多くが処刑される。奇兵隊ら諸隊には諸隊解散令が出される。京都では、藩邸の指導者、木戸孝允が但馬に潜伏した。

一二月、高杉らに指導された諸隊は、藩庁から自立した指導部、諸隊会議所を設立し、長州藩の正規藩兵を破って権力を取り戻す。ふたたび藩政が一元化され、藩政府を指導する用談役には、但馬から呼び戻された木戸孝允が就いた。

攘夷戦争と「侵略の危機」

長州藩の尊王攘夷派は、前年の下関砲撃事件で、かつて鎌倉幕府が蒙古襲来の際に、来日した元の使者を斬って戦争方針を決した故事を引用して、「非常の功は非常の勇断」をもってなされる、「あらかじめ醜夷の肝胆を寒からしめ、彼をして憤兵〔奮い立つ兵〕たらしめ、我をして死地〔危機〕に入らしめ」るという戦略を採用した。この攘夷戦についてはあらためて確かめておきたいことがある。

前年の下関攘夷実行の発端からみよう。攘夷実行予定日の五月一〇日当日、横浜から上海へ向かっていたアメリカ小型蒸気商船（二〇〇トン）は、強風を避けて下関の手前に停泊した。長州藩下関総奉行毛利能登の問い合わせによって、同船が日本人水先案内人を乗せ、幕府の用状も持っていることが判明したので、総奉行は激派に対して商船砲撃を制止した。しかし久坂玄瑞ら京都から来て下関光明寺に拠る「光明寺党」激派は、これを無視する。久坂の作戦によって、皆殺し（「鏖殺《じんさつ》」）にするか、「捕獲」するために、荒天、暗夜にまぎれてコットル型大型帆船庚申丸で忍びより、大砲を不意打ちに連射した。商船は大破して豊後水道へ走り、蒸気での航行によって辛くも逃走した。

当時、「通商日に盛ん、物価日に貴《たか》く、国力、ますます疲弊」（長州藩上書）と、貿易が盛んで物価が高騰したために、一般的な排外感情はたしかにあった。しかし、欧米からの軍事侵略の動向は、現実の状況として下関に存在しなかったのである。逆に日本側から「侵略の危機」をつくる手法がとられた。つくられた軍事的危機である。

アメリカ商船への奇襲攻撃は、紹介したように奇兵隊を生みだしたが、それは長州藩内限りのことであり、広く見れば、日本の道理にもとり、当時の近代国際法にも違反した、まったく弁護できない行為であった。つづくフランス通信艦などへの突然の砲撃も同様である。

世界の反植民地戦争は、高く評価される。ただし、経済的侵入にとどまるか、軍事的侵略をうけているか、という両者のあいだには、はっきりした境界線があり、それによって、武力反植民地戦争に踏み切るかどうかが決まっているのである。現実に切迫していない対外的危機を誇大に強調する手法は、国内の武力専制支配の強化につながるのが常である。また、評価されるのは、武力を備えた侵略者との戦闘が行われた場合である。小型商船への夜襲は論外である。

幕府外交の道理

越前藩の村田巳三郎《ともさぶろう》は、坂本龍馬に、長州藩の行為は、「日本万国に対して不義、非道」と批判した。攘夷実行令が出たのだが、実は在京した将軍と幕閣はしぶとく抵抗し、その「策略」は幕府に任せると、骨抜きにしていたのであった。幕府は、指揮に従わない長州藩の攘夷砲撃を、「妄動」、「御国辱」と呼んで、「みだりに発砲など致さざるよう」(七月八日の幕府達書)厳命し、長州藩に詰問使を送る。老中達書を長州藩に渡した幕府詰問使(公式の使節)一行一一名は、八月下旬、帰途に、長州藩内で、二人は宿舎で暗殺されて、内ひとりが梟首、残りは同藩が用意した小舟で出港し、正使以下、全員、行方不明になった。

激派の作戦のように、非道な攻撃が成功して、アメリカ商船に死者多数がでていれば、容易ならない事態になっていたであろう。アメリカ商船は豊後水道へ逃れたが、下関海峡の砲台が砲撃に備え、長州藩の別の武装蒸気船(一一八〇トン、砲一〇門)も支援に向かっていたのだから、重大事態にならなかったのは、むしろ僥倖《ぎょうこう》であった。しかも同じ五月、江戸では生麦事件償金交渉が切迫し、戦争状態突入回避のための、外国奉行の努力が続いていたことは、すでに紹介した通りである。

朝廷の攘夷実行令をうけて、江戸で始められた幕府の横浜鎖港交渉は、戦前以来、あまりに微温的と、幕府外交の拙劣さの見本のように取りあげられるのだが、条約破棄を決めたのであれば、突然、商船を奇襲するのではなく、外交交渉で通告し、現実的交渉に入るのが国際社会の簡明な道理である。幕府外交の方が道理にかなっていたのである。

攘夷戦争と民衆

攘夷戦争と民衆のかかわりについて見てみよう。四国連合艦隊下関砲撃事件の際に、長州の民衆が打ちこわし一揆に蜂起したという事実が掘り起こされている。

四国連合艦隊の周防灘の姫島集結は、一八六四(元治元)年八月二日で、四日に下関海峡東端に前進し、戦争開始は五日であった。戦争直前の三日と四日に、姫島対岸の長州藩三田尻町で、海岸部村々の民衆五、六百人が、町方が米を買い占めて騰貴させているとして、打ちこわし一揆を起こした。一揆勢は、深夜、浜の安養寺の大鐘を撞《つ》いて参加を呼びかけた。連合艦隊は、周防灘の通航を封鎖し、長州藩の船を捜索するために臨検した(サトウ)。周防灘の商品流通が途絶し、一揆勢がいうように物価高騰が民衆を直撃したのである。打ちこわし一揆が起きた三田尻町は長州藩瀬戸内側の中心となる町である。民衆の打ちこわし一揆が瀬戸内一帯に広がれば、長州藩の臨戦態勢は、重大な危機に瀕したであろう。

周布たちは、民衆をも攘夷戦争に組織していった。たとえば小郡宰判《おごおりさいばん》の事例がある。攘夷実行前月の四月、代官は下級村役人全員を呼び出して、次のように命ずる。村々老若男女は村の氏神に祈誓せよ。「殿様御国難」の際に、小郡「四万余人一致」して祈誓すれば、「往昔《おうせき》、蒙古襲来の時」のように「神風たちまちに吹き起こり、夷賊軍艦を覆滅なさしめたまわん」と。こうして幕末後半期を通じて、蒙古襲来の神風神話が想起され、実際に全郡の氏神祈誓が行われる。大庄屋、庄屋は、農兵を組織し、藩は大々的に彼らの献金を募ったりもした。その記録は多数、山口県文書館に残されている。高杉は、これを「回復私議」で「お家来中、土民〔庶民〕に至るまで」、「防長両国を枕に討ち死に致す」と述べている。このように村々の郷土防衛意識を呼び起こす民衆動員が行われたのだが、連合艦隊集結地の対岸で打ちこわし一揆が発生した。実戦に参加したサトウは、連合軍が長州藩の大砲を運び出すのを長州の民衆がすすんで手伝い、戦争が「自分たちをひじょうな苦境におとし入れた」と言うのを聞いている。

薩長接近　一橋慶喜は、久光ら大名の開国論を無視して、実行の見込みのないことを十分に知りつつ、横浜鎖港を請け、そうすることで、攘夷を言いつづける孝明天皇に接近した。蛤御門の変で主力になった京都守護職の会津藩、桑名藩とともに、「一、会、桑」と称され、天皇の信任を得て、朝廷を制圧しはじめた。薩摩藩は、幕府への警戒を強め、流刑地沖永《おきのえ》良部島《らぶじま》から西郷隆盛を呼び戻し、蛤御門の変や第一次征長を統率させた。一方、長州藩は、潜伏先の但馬から帰国した木戸孝允に指導され、幕府との軍事対決に備える。これに対して、一八六五(慶応元)年五月、将軍徳川家茂《いえもち》が再度の征長に江戸を発った。

閏五月、土佐藩を脱藩した草莽の坂本龍馬や中岡慎太郎らが長州藩と薩摩藩の間を仲介し、長州藩から、伊藤博文《ひろぶみ》(当時、俊輔)と井上馨《かおる》(同、聞多《ぶんた》)が、長崎へ派遣された。長崎の薩摩藩邸と龍馬らの亀山社中は、小銃と蒸気軍艦の購入を斡旋《あっせん》する。大名が欧米から勝手に武器購入することは、通商条約で禁止されていたが、薩摩藩は、権勢をもってこれを無視していた。

薩摩藩の名義をつかって輸入したミニエー銃(ライフル銃)四〇〇〇挺が長州藩に届くのは八月である。蒸気船の購入も実現に向かう。長州藩主毛利敬親は、薩摩藩の久光父子に書簡を送り、同藩との対立は「万端、氷解に及」んだと伝え、軍艦購入も公式に「依頼」した。

九月には、長州藩征討が、薩摩藩や征長の負担に苦しむ大名の反対を抑えて勅許される。これに対して、大久保利通は、「非義の勅命は勅命にあらず」とまで言い切った。

条約勅許と改税約書

このころ、イギリス公使がオールコックからパークスに交替する。パークスは、上海領事からの昇進で、アロー戦争で捕虜になって死線をくぐった辣腕外交官である。フランス公使も、この前年にロッシュに替わっていた。北アフリカ、アラブ世界で経験を積んだ野心的外交官である。パークスはロッシュらと共同し、通商条約の承認(勅許)を求め、列国軍艦七隻を兵庫沖に碇泊させた。直接朝廷に交渉すると幕府に圧力を加えるためであった。
朝廷の小御所で、慶喜、松平容保らが公家に面会する。天皇も御簾《みす》を隔てて「透聴《すきぎき》」した。慶喜は、「天子をも外夷には、かまわず、撫《な》で殺《ごろ》しにあい成」り、「〔日本は〕属国」になると迫る。「千言万語」の激しい応酬があり、公家は座を移して朝議にはいる。慶喜、容保が朝彦親王と面会をくり返し、一方、宮廷工作に任ずる大久保利通も、縁家の近衛忠房と打ち合わせを重ねる。夜が明け、勅許不承認の決定が出る。しかし、なおも慶喜は、「流涙言上」、「暴威」で申し張り、「寸歩も」退かなかった。在京諸藩の意見を聴くという手続きをとった上で、夕刻、朝議が逆転し、兵庫を除いて条約が勅許される。

欧米には天皇「撫で殺し」や日本「属国」化の計画など全くなかったのであり、慶喜は、暴言もはばからない政治力を見せつけた。一方、薩摩藩は、条約勅許に反対したが、当時、貿易総額は三〇〇〇万ドルをはるかに越えており、開国を撤回することなど論外であった。薩摩藩が貿易で利益をあげる先頭にいたのであり、同藩は、外交を政争の手段につかったのである。

パークスは、長州藩が認め、幕府が負担することになった莫大な下関戦争の賠償金、三〇〇万ドル支払延期と兵庫開港の先送りを認める見返りに、貿易問題で幕府に譲歩を求める。翌年、幕長戦争直前の五月、改税約書が結ばれる。ほぼ二〇パーセントの高率で従価税であった輸入関税が、五パーセントという低率の、物価高騰が反映しない従量税に改められる。こうして日本は、関税について天津(敗戦)条約を結んだ中国と同じ不利な条件を認めさせられた。

前年一八六四(元治元)年の幕府の関税収入は一七四万両、歳入の一八パーセントという多額の収入になっている。関税障壁を低減させたことと併せて、関税収入大幅減額(四分の一への減)は、日本にとって重大な損失であった。たとえば一九世紀前半のアメリカ合衆国の関税収入は歳入の九割以上を占めており、関税こそは近代国家の重要な財源であった。

薩長同盟

朝廷の政争は、片や朝彦親王と一橋慶喜、一方は近衛忠房と大久保利通の密接な連携に見られるように、武家世界の政治抗争の代理戦争の場となっていた。そして、慶喜ら一・会・桑は、蛤御門の変で尊攘激派追放に奮戦して以来、くわえて、横浜鎖港交渉を進めると言明して、孝明天皇の厚い信頼も得ていた。慶喜の政治力に抵抗できない朝廷を、大久保が「微力の朝廷」と嘆いたように、薩摩藩は、朝廷に手がかりをなくし始めていた。

一八六六(慶応二)年一月、薩摩藩に招かれて、木戸孝允がひそかに京都伏見の薩摩藩邸に入り、西郷隆盛らと会見する。戦火を交えた間柄であり、容易に打ち解けなかったが、坂本龍馬が間をとりもち、薩長連合密約(薩長同盟)が合意された。

長州藩は、次の幕長戦争に見るように、幕府と対決する「大割拠」の体制を構築しつつあった。木戸とならぶ指導者、広沢真臣《さねおみ》は、朝廷が征長勅許をきめたことを龍馬から知らされて、「他藩の助、不助に関せず」、幕府と「決戦の処、確固不動、勿論」と言い切り、中国諸藩との連携の必要を述べる。薩摩藩は、遅れをとるわけにはいかなくなっていた。

密約にいたる経緯については諸説あるが、もっとも確かなのは、木戸帰藩の翌々日、長州藩の支藩岩国藩の山口詰責任者が木戸から、「真の極密」として知らされたという岩国藩宛の用状の記事である。

木戸が薩摩藩の朝廷工作がすすんでいないのはなぜかと迫ると、薩摩藩側は、「極々真の内密」に、次のように漏らした。現時の勢いは、とても薩摩藩の力には及ばない。今後は、必ず戦いになるだろう。戦いが始まれば、薩摩藩の工作がすすむだろうと言明した、と(『吉川経幹周旋記』)。

これから分かるのは、朝廷の朝議をめぐる闘いで幕府側が優勢になっていたこと、そのため、力に及ばずと認める薩摩藩が、実は、幕府と長州藩の一戦を待ち望んでいたということである。

薩長連合密約の全六条を、読み下しにして、掲げた(次頁図3-8)。第一条では、戦いが始まれば、薩摩藩は、兵二〇〇〇を上京させ、京坂を固め、大坂には一〇〇〇の兵を置くという。これは、幕長戦争に出陣する幕兵の背後から、その本拠の大坂に脅威を加える、幕府側にとっては恐るべき薩摩藩の軍事行動の約束である。

第二条は短いが、第一条に次いで重要な条項である。戦いが長州藩側の有利になった場合、薩摩藩が朝廷で長州藩の赦免に尽力するという。第三条、第四条とも、すべて朝廷での薩摩藩

一、戦とあい成りそうろう時は、すぐさま二千余の兵を急速さし登ぼし、ただ今在京の兵と合し、浪花へも千ほどは、さし置き、京坂両処をあい固めそうろう事
一、戦、自然もわが勝利とあい成りそうろう気鋒これありそうろうとき、その節、朝廷へ申しあげ、きっと尽力の次第これありそうろうとの事
一、万一、戦負け色にこれありそうろうとも、一年や半年に決して潰滅いたしそうろうと申す事はこれ無き事に付き、その間には必ず尽力の次第、きっとこれありそうろうとの事
一、これなりにて、幕兵、東帰せしときは、きっと朝廷へ申しあげ、すぐさま冤罪は、朝廷より御ゆるしにあい成りそうろう都合に、きっと尽力との事
一、兵士をも上国のうえ、橋・会・桑(一橋慶喜、会津藩、桑名藩)なども、ただ今のごとき次第にて、もったいなくも朝廷を擁したてまつり、正義をこばみ、周旋、尽力の道をあいさえぎりそうろうときは、ついに決戦に及びそうろう外これなしとの事
一、冤罪も御ゆるしの上は、双方、誠心をもってあい合し、皇国の御ために砕身尽力つかまつりそうろう事は申すに及ばず、いずれの道にしても、今日より双方、皇国の御ため、皇威あいかがやき、御回復に立ち至りそうろうを目途に誠心を尽くし、きっと尽力仕るべしとの事

図3-8　薩長連合密約六カ条(『木戸孝允文書二』).

の尽力の取り決めである。要点は、長州藩の軍事対決と薩摩藩の朝廷工作の組み合わせなのである。第五条は、幕府が朝廷を掌握し「正義をこばみ」、「周旋、尽力の道」がさえぎられたときは「ついに決戦に及ぶ」、つまり薩摩藩が兵力で戦うという合意である。

合意内容の確認を龍馬に求めた木戸の書状には、密約が日本の「大事件」であり、後世に残

るものだということを、木戸自身、十分に理解していたことが記されている。しかも、重要なことは、これらを薩摩藩の西郷、小松、長州藩の木戸、そして仲介した龍馬らの間で「将来の見込みの辺りも〔四名他が〕御同座にて、委曲、了承」(木戸、同書状)した事実である。中下級武士出身の彼らが、皇国(日本)の「将来の見込み」という「重大事」を、藩での事前の了解はあったにしても、藩主ぬきに、明確に「論談」した。彼ら藩の「有司」(実務役人)は、藩の代表なのだが、前章で長州藩について説明したように、藩の実権を握っているから、このような「重大事」そのものの、軍事・政治密約を結ぶことができたのである。

幕長戦争と奇兵隊

幕長戦争は、一八六六年六月初旬に瀬戸内海の大島ではじまった。幕府側は、開戦後一四日目で大島口から敗走する。七月に、浜田城が落城し、敗報があいつぐなか、将軍家茂が病没した。八月初めに小倉城も落城し、一方で将軍がいる大坂や兵庫一帯で打ちこわし一揆が起きた。九月下旬には、徳川宗家を継いだ慶喜が撤兵を命ずる。

征長軍、一五万に対する長州藩軍は四〇〇〇であった。主力の諸隊は、武士と庶民混成で、幕長戦争当時、奇兵隊のほか、御楯隊、遊撃隊、第二奇兵隊など一〇隊、約二〇〇〇名であった。三〇人前後の小隊を単位にし、奇兵隊では、総員四〇〇名が七銃隊と八砲隊を構成する。兵士は「羽織一枚、ホローコ〔フロック、軍服〕一枚、襦袢《じゅばん》一枚」、その他「持ち合わせ、あいならざること」とされ、一切の防具を着けない、裸同然の「軽装歩兵」の登場である。ライフ

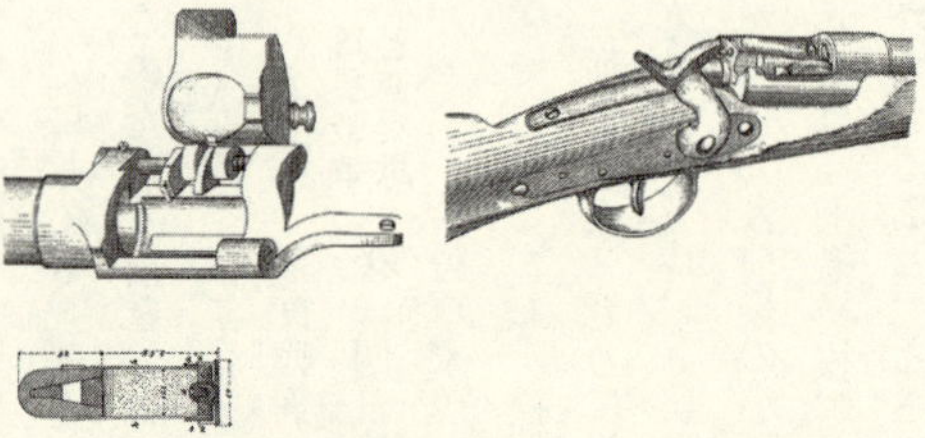

図**3-9**　スナイドル銃は，日清戦争まで使用された．左，銃底機関図，左方，銃口．銃底のカバーを上へ開け，下のボクサー実包をつめる（陸軍士官学校編『兵器学教程』1893年）．

ル銃と「軽装」ゆえに、小隊、中隊単位の真の機動作戦が可能になった。こうして奇兵隊の小隊は、小隊運動を徹底的に訓練され、あるいは、山に駆け上がって高地を制して下射し、あるいは、間道を迅速に迂回して背後を衝いたりした。

諸隊全員は、藩庁から供給され、各隊「器械方」で独自に管理するミニエー小銃、あるいは最新型のスナイドル銃を持っていた。スナイドル銃の長円形弾と薬きょうを図3－9に示した。銃身内側に刻まれたらせんの溝（ライフル、当時、施条とよんだ）によって発射方向に直角面でジャイロ回転し、正確に直進するので「狙撃」ができるようになった。ゲベール銃の有効射程距離は、一〇〇メートル以内であるのに対し、ミニエー・ライフル銃の有効射程距離は、三〇〇メートルから五〇〇メートルで、圧倒的な戦力差である。当時、世界の戦争で、十分に訓練されたライフル銃の少人数の小隊は、ゲベール銃あるいはそれ以前の武器の大部隊に対して、虐殺にひとしい戦闘を行うことになる。

奇兵隊ら、武士と庶民混成の有志隊の諸隊は、厳格に統制された常備軍であって、緊急時に動員される民兵ではない。しばしば誤解されるのだが、これは重要なポイントである。

民俗学者宮本常一の郷里は、幕長戦争緒戦が戦われた山口県大島郡である。紹介した『忘れられた日本人』の「世間師」の章で「〔幕長戦争の〕戦闘の中心になった奇兵隊や振武隊の隊士は百姓の二、三男や同じ大工仲間であったものが多かった」として、宮本の祖父と同じ部落の大工が山口への出稼ぎ中に、奇兵隊に入隊した例などをあげている。同書には、江戸後期から明治にかけての百姓の二、三男に、奔放な旅の生活をした、けた外れに行動的な人物が多かったこと、彼らが「世間師」と呼ばれ、そうした活性ある百姓が入隊したことが聞き取られている。

「使い捨て」の近代歩兵の登場

一方、諸隊の兵士が羽織・軍服・襦袢以外を禁止されたのは、足軽でも着けていた多少の防具(胴丸など)すら着けない、裸同然の、「使い捨て」の近代歩兵が登場したということである。諸隊は、こうした冷酷な組織のなかに、活力ある幕末の百姓を組み込んだのである。

奇兵隊は、「隊中」と呼ばれた兵営に起居し、軍事訓練に専念した。兵士は、「職業軍人」であり、藩庁は、「士庶を問わず、俸を厚くし」、十分な月俸を兵士に支給した。軍事訓練は、蘭学兵学者、大村益次郎によって指導される。大村翻訳『兵家《へいか》須知《すち》戦闘術門』の原書(オランダ語)は、一八五三年刊行の当時の西欧の水準を示す戦術書である。軍事訓練は、午前五時から、昼の二時間の休みがあり、午後八時まで、一三時間におよんだ。剣術、銃陣、大砲稽古などが行われ、早朝と夜、各二時間の文学稽古も実施される。高杉が「もっぱら専制」を用いると述べたように、隊独自の「隊法」によって統率され、違反者は、隊内で処分される慣例で、藩庁も介入できなかった。除隊・断髪・斬首・割腹などの処罰が『奇兵隊日記』に散見される。

高杉は、このころの論策「回復私議」で、「諸隊の壮士に、ミネールの元込み（スナイドル銃）、雷《ライ》フルカノンの野戦砲（アームストロング砲）を持たしむるときは、天下に敵なし」と説明する。有志兵士が、最新のライフル銃を携帯し、アームストロング砲を備えれば、世界水準の近代歩兵隊ができることをはっきりと認識していたのである。

後発国の精鋭軍

長州藩の開明派「有司」は、欧米の最新の武器を輸入し、欧米の近代歩兵戦法書を導入し、小隊、中隊運動を徹底的に訓練して、規律を厳格にし、精鋭な常備軍をつくりあげた。旧式の武器を手に、人民の大海に依拠して列強に抗戦する民兵とは、性格がまったくちがっている。後発国につくられる、社会から突出した「近代軍」なのである。

幕長戦争の前に、農民の兵士に、猛烈な訓練が行われ、そのために、脱隊事件がおきている。幕長戦争の二カ月前、大島口、上関の第二奇兵隊で幹部の統制に対する不満がきっかけとなり、兵士たち一〇〇人前後が幹部を殺害して脱走する。第二奇兵隊の公式定員は一二五名、大半が脱走したのだった。その半数は、さらに幕府領倉敷へ走り、代官所を襲撃し、敗走した。脱隊暴発の動きが諸隊の全隊に広がっていたため、倉敷襲撃から戻った兵士四六人全員が斬罪に処せられる。その四分の三が農民兵士であった。宮本常一は、倉敷脱隊騒動について、幹部殺害事件自体はこみいっているが、おおもとは、百姓の「世間師」的な気風に由来するという地元の聞き取りを記している。

藩庁指導者広沢真臣は、脱走した農民兵士を「無趣意の雑兵」、戦争開戦を間近にひかえて、「規律締まり」のための「不幸の幸い」と言ってはばからない。脱走兵士全員が、それぞれの出身郡において斬首に処せられた。農民兵士の多数を犠牲にし、諸隊と地域社会を戦慄させて、兵士の規律がうち立てられた。

武士と庶民の兵士が「同様にあい交わり」、「もっぱら力量を重んじ」(奇兵隊の隊法)という諸隊の「隊中」に固有の平等が、たしかに民衆を引きつけた。たとえば、長州藩小郡宰判の「宮番」と呼ばれる、身分的に差別をうけた農民が、四国連合艦隊砲撃事件の最中に、出身地、名前を偽って入隊した(『奇兵隊日記』)。近世後期には、被差別部落民も、さまざまな稼ぎに従事して身分解放の動きを強めていた。この被差別部落民は、身分解放をも求めて入隊したはずだが、奇兵隊で「手打ち」にされている。また、幕長戦争の際には、舟木宰判の村方で処罰のために「村預け」になっていた百姓が、奇兵隊の「隊中」へ「駆け込んで」入隊、代官から引き渡しを求められ、奇兵隊の陣所裏で死亡しているのを発見される(同日記)。

奇兵隊は、身分解放を求める被差別部落民や抑圧から逃れる百姓を差別や抑圧から解放するような組織体ではなかった。民衆をひきつけたのは事実である。しかし、貧しい民衆が兵士になっているから、その軍隊が民衆的とは限らない。今日でも、欧米の新鋭武器を導入した後発国の強力な精鋭常備軍の多くは、「貧しき人々」に兵士となって「実力ではい上がれる唯一の機会」を提供するが、その軍隊は民衆には強烈に抑圧的なのである（伊藤千尋『燃える中南米』）。

後発国の精鋭軍という性格をみれば、民衆の諸隊に対する支持に限界があったのは、当然であろう。幕末の長州藩には百姓一揆がないといわれてきた。幕長戦争でも、前年から「粛然深夜のごとき」、臨戦態勢がしかれ、蒙古襲来の神風神話での民衆動員も行われていた。それにもかかわらず、石州（島根県）口の戦場となる奥阿武《おくあぶ》宰判弥富《やどみ》村では、二月中旬と下旬、深夜、二五〇人ほどの百姓が、二度におよんで打ちこわし一揆に蜂起したことが分かっている。

慶応幕政改革

幕長戦争の最中の一八六六（慶応二）年八月下旬、一橋慶喜の徳川宗家相続が布告され、慶喜は、戦局を盛り返すことのないまま、征長軍を引きあげる。将軍職をしばらく固辞し、孝明天皇の慶喜への支持を十分に確かめた上で、一二月上旬には将軍職をも継ぐ。これ以後、新将軍徳川慶喜の失地回復がはじまる。

朝廷では、孝明天皇をはじめ、関白二条斉敬や朝彦親王らが慶喜を支持し続けていた。しかし、その一方、慶喜に反対する公家勢力も台頭していた。中御門《なかみかど》経之《つねゆき》や大原重徳《しげとみ》たちである。

薩摩藩は、薩長連合密約で、戦局が長州藩に有利に展開した場合、朝廷で同藩の赦免に尽くすと協定しており、大原たち反慶喜派の公家に働きかける。また、処罰されたままの岩倉具視が、この公家たちと連絡をとっていた。

戦争中の八月末、反慶喜派の公家二二人が列参におよび、征長軍の解兵および朝彦親王と二条関白の罷免を求めた。朝議の席上、「鵺卿《ぬえきょう》」大原重徳は、天皇に向かって「朝廷御失態」と「主上の御失徳」を追及した。そのため、朝彦と二条が辞意を表明し、列参は、成功直前までいく。しかしこれに激怒した天皇が、御簾《みす》のなかから大原に向かって「征長の事、解兵はあいならず」と言い張り、列参は失敗する。

大久保利通は、この成功直前までいった列参を西郷隆盛に「朝廷、不思議の変態」と報ずる。大久保らが、平公家の岩倉に近づくのはこの列参の後のことである。

一方、孝明天皇の信任をうけた新将軍慶喜は、幕政改革に精力的に着手する。フランス公使ロッシュの助言も容れて、幕府制度に、国内事務、会計、外国事務、海軍、陸軍の行政の分課を設け、形の上では、近代国家の専門部局制を採用する。軍制改革もめざましかった。

幕府も洋式軍制改革を行っていたが、長州藩より遅れていた。幕長戦争中、パークスは、江戸で戦場に派遣予定の幕府の新しい大隊、八〇〇〇人を閲兵している。パークスは、「すべてライフル銃ないしマスケット銃を装備していたが、その上両刀を身につけていた。かれらは、それぞれの主人から給料をもらっている」、「一つの制度の下に統合」されていない「きわめて平凡な補充兵」だと外相に報告している。一方、同じ報告で、長州藩の軍隊を「優秀なライフル銃を装備しており、しかもそれを使い慣れている」と、高く評価する。

右のパークス報告でも、慶喜については、「あたらしい軍事組織の熱心な擁護者」と評価された。慶喜は、フランスのツーロン軍港をモデルにした横須賀製鉄所建設を推進し、旗本のすべての洋式銃陣編成をめざし、またイギリスの商会にアームストロング砲、数十挺を発注していた。これらは、雄藩にとっては大いなる脅威であり、西郷は、サトウに「一橋(徳川慶喜)は、いま、たいへん天皇に気に入られています」、「三年間は万事休す」だと述べている。

この時、頑強な攘夷主義者であり、幕末政局に大きな影響を与えてきた孝明天皇が一二月に三六歳で急死する。天然痘にかかり、激性の症状を呈した死であった。死因に、出血性痘瘡《とうそう》説(病死説)と、砒《ひ》素《そ》中毒説(毒殺説)の両説がある。毒殺説では、当時から、下手人は、孝明天皇のもとでは赦免されなかった岩倉具視とささやかれた。新天皇は、祐宮《さちのみや》、一六歳で、外祖父は中山忠能《ただやす》である。この時、中山、岩倉ら反慶喜派の公家が赦免された。

孝明天皇の急死は、新将軍慶喜には、たしかに打撃であった。慶喜は強力な後援者を亡くした。しかし慶喜の政治活動は、強力に進められた。

翌六七年三月下旬、慶喜は、大坂城で、イギリス、フランス、オランダ、アメリカの四カ国の公使と謁見する。最初に、大英帝国のパークスと謁見した。この謁見を『遠い崖』に詳しく紹介した萩原延壽によれば、慶喜は闊達、洗練されたマナーで、百戦錬磨のパークスを「魅了してしまった」。

慶喜は、冒頭、兵庫開港を含む条約を遵守すると「明確な言葉」で約束する。パークスも、「イギリスと日本の過去の関係についておもしろくなかった事柄は、今一切水に流しました」と発言し、イギリスの幕府海軍建軍への協力が言明される。謁見は三時間半に及び、西洋料理のあと、別室にうつり、ウィスキーとコーヒーでもてなされた。パークスは、イギリス外務省に、「〔慶喜は〕日本人の中で、もっともすぐれた人物」であり、「可能なかぎりかれを支援したい」と報ずる（図3－10）。

図 **3-10**　1867 年 3 月，大坂城中での慶喜とパークス公使の会見（『イラストレイテッド・ロンドン・ニュース』1867 年 8 月 24 日号）.

幕府、大名とイギリス

イギリスは、薩英戦争や下関の戦争をへて、薩長をはじめとする雄藩とであい、政治や貿易への参加を求める雄藩の主張を理解するようになった。薩長に接近したのはイギリス公使館の青年書記官サトウや長崎領事ガウアーらであった。サトウは、回顧録『一外交官の見た明治維新』に生き生きと記されているように、伊達宗城や西郷隆盛ら、西南雄藩の大名や藩士たちとも親密に交わり、大名勢力を加える日本の政体変革を記した『英国策論』を公表した。公使パークスも、それを黙認していた。萩原延壽は、『遠い崖』で、書記官サトウと公使パークスとでは、対日意見に大きなひらきがあったことを指摘している。これまで、幕末後半期の国際関係の枠組みについて、イギリスが幕府から離れて薩長に接近し、フランスが、逆に幕府に親密度を増し、両国が各々の陣営に軍事援助を申し出るなど、内政にも関与したと説明されてきた。だが、この理解は、はなはだ不正確だったのである。

条約勅許から改税約書締結という一八六六年頃の幕府外交について、パークスは、「将軍は、われわれにたいして誠意をもって行動」している、「大名たちを通してよりも、将軍を通して、はるかに多くのことを成就できる」と評価し、その一方で大名たちのどうしようもない「嫉妬心と不和」を感じとって本国外務省に報告していた。また薩摩藩が条約勅許をめぐって、たびたび勅許を妨害し、「外交問題を利用して将軍を攻撃」することを批判していた。

幕長戦争後、イギリス海軍司令官のキング提督が瀬戸内の三田尻で長州藩主を訪問した。木戸孝允がこの訪問受け入れに奔走する。しかし、パークスは、長州藩が、当時ほかの多くの藩が企画したような民衆の歓迎行事を一切設けなかったのを見て、長州藩にはイギリスへの友好的感情が欠けていると本国に報告した。実際、長州藩は、前に見たように対外的危機感をあって、それを民衆動員に利用しており、パークスの観察は正確だった。

薩長の開明派を評価しはじめていたイギリス本国外務省も、公使館が幕府から離れて薩長に接近することなどとうてい認めなかった。本国外務省は、パークスに、たとえイギリスの望みとちがっていたとしても、日本の体制変革は、「徹頭徹尾、日本的性格という特徴を帯びていなければならない」と指令し、パークスもそれに異存はなかった。

幕長戦争の最中に、イギリスとフランスの公使が下関を訪問する。戦局は、長州藩に優勢に展開していた。この時、木戸は、両公使に対して次のように発言する。

「外国の公使たちによく承知していてもらわなければならないのであるが、わたしは、外国の援助をもとめなかったし、今後も外国の介入が両陣営にたいしまったくさしひかえられることを信頼するのみである」

「外国の介入」をしりぞける木戸の発言は、実は、紹介したように、イギリスの対日方針と、一致していたのである。右の木戸発言は、このパークス報告からの引用である。

パークスの指令

幕末政争が、最後にそして最も激しく動いた一八六七年の初め、西南雄藩に情報収集に赴くサトウに対するパークスの指令は、次のようなものであった。

第一に、条約の厳守、したがって兵庫開港をイギリスがあくまでも主張すると大名側に伝えること、第二に、イギリス政府は、「いかなる党派」にも、「いかなる種類の援助」もあたえないことを大名側に伝えること、である。

右のように、パークスらイギリス外交部は、日本の政争への不介入を本国外務省との間で確認し、日本にもそのことをくり返し表明していた。このあと、紹介した慶喜との謁見によって、パークスは、幕府への信頼をますます確信する。慶喜は、イギリスへの警戒を緩めなかったが、外交の舞台ではイギリスとの関係を軽視しなかった。

イギリス外務省の外交の現実を見れば、責任者である公使パークスは、幕府への信頼を深めており、一方、若手通訳官サトウらが薩長に接近し、パークスはそれも黙認していた。幕府を中心としつつ、政治の変動にも対応できるように外交スタンスをひろげて、なおかつイギリスの国益を守るために、日本の政争にはけっして介入しないことで合意していたのであった。

従来、フランスが幕府に近づいたといわれてきた。フランス本国外務省は、ベトナムの支配の方を重視しており、また、ヨーロッパ大陸で急速に大国化するプロシアとの対抗を強めており、イギリスと対立するロッシュ外交をけっして支持しなかった。

幕末後半期の日本の国際的環境を以上のように見ると、幕府と薩長、両陣営の対立が深刻化する中で、日本に最大の影響力をもつイギリス外交は、中立、不介入の路線を確定しており、それを明確に表明してもいた。イギリスの判断の基礎には、列強の勢力均衡という日本の地勢、日本の政治統合の高さ、イギリス海軍の能力の限度、貿易のおおむね順調な発展、大名の攘夷運動の終息、西南雄藩の開明派の台頭などがあり、中立、不介入方針は確立されていた。

日本に国際的な重大な軍事的危機が迫っていたわけではないのである。対外的危機からの脱却が何をおいても必要だったという国際関係を前提に急進的な政治革新を必然的なものと描き出す見解が、従来有力なのだが、冷静に再考されるべきである。たしかに、軍事力、経済力の格差は大きく、日本に一般的な対外的危機がなかったとはとてもいえない。しかし、列強、とくに影響力が大きかったイギリスにしてすら、日本を植民地化するような具体的な侵略的介入をする可能性は、当時の政治の動向からいえば、実は低いものであった。

決裂

慶喜によって、外国公使に兵庫開港が明確に言明され、朝廷の開港承認を獲得する問題が残された。しかし、朝廷では、平公家たちの中で攘夷派がいぜん有力であった。そこで、薩摩藩は、長州藩の赦免と、兵庫開港承認問題をめぐって朝廷への運動を展開した。薩摩藩が準備して、島津久光、松平慶永、伊達宗城、山内豊信の四大名が、一八六七(慶応三)年五月にそろって上京する。兵庫開港は、三都の中心で、雄藩の死命を握る大坂の開市をともなっており、雄藩は、開港の実行に大名勢力を参加させるよう求めていた。兵を率いて上京した久光は、前年の二二人列参の中心人物で、征長軍の解兵を求めて処罰された中御門経之と大原重徳の議奏への登用を要求する。

この時、薩摩藩にとっては不利な事態が起きた。島津家の縁家で、長年の政治活動の盟友であり、貴族筆頭の貴種である近衛家の忠房が、中御門らの慣例にない登用を、「朝憲」(朝廷の秩序)を乱すと反発して、薩摩藩に尽力するのを断ったのである。

五月末、朝廷で、兵庫開港承認問題と長州藩赦免問題が紛糾し、朝議が二日一夜におよぶ。薩摩藩の大久保や西郷が猛烈に工作し、慶喜も老中とともに小御所に詰めきりで圧力を加える。朝彦親王と二条斉敬摂政、鷹司輔熙、九条道孝らが慶喜を支持し、そして、近衛忠房も、今回はついに薩摩藩にはつかなかった。二日目の朝、動揺する二条摂政に、朝彦、鷹司、九条が総辞職の姿勢を示し、兵庫開港は承認(勅許)される。

慶喜は、「暴威」(大久保)とか「朝廷を軽蔑」(伊達宗城)と評されるような強引な工作を展開し、近衛家も含めた摂家と親王の、上級貴族全体の支持をついに獲得したのである。薩摩藩の敗北だった。前に見たように、薩長連合密約では、注目すべき第五条で、幕府が「朝廷を擁し」て、「正義をこばみ」、「周旋、尽力の道」が遮られた時は、「ついに決戦に及ぶ」と合意されていた。

大久保は、藩地に「兵力を備え、声援を張り、御決策の色を顕わし」て、「朝廷に尽力」すると伝える。そして長州藩に武力決起をうながす使者を送り、藩地からは、軍艦で「一大隊の兵士」を上京させる。口舌による「周旋、尽力の道」をなくした薩摩藩は、幕府と武力で戦う(薩長連合密約の「ついに決戦に及ぶ」)ことも辞さない朝廷の大変革を計画する。

第4章　近代国家の誕生

1870年，架空の「蒸気車走行」錦絵(「東京高輪鉄道蒸気車走行之全図」部分)．開通は実は72年．翌年同タイトルの「真景」版が出る．開化期の錦絵は赤のアニリン染料を多用．安っぽく芸術的評価は低い．しかし速報，大量生産で流布．蒸気車は，開化エキジビションの象徴だった．

1　王政復古と「有司」専制

討幕派の武力路線

薩摩藩は、一八六七(慶応三)年八月に、挙兵の「秘策」を長州藩に説明した。京都御所に藩兵を入れ、討幕派の公家が結集して制圧、会津藩邸と幕兵の陣営を「急襲」し、「焼き払う」。天皇を男山(京都市南部、八幡《やわた》市)に移した上で、「討将軍」の布告を出す。藩兵三〇〇〇で大坂城を制圧し、大坂湾の幕府艦隊を「破砕」する。関東方面では甲府城に「立て籠もる」という壮大な武力蜂起計画であった。島津久光と西郷隆盛、大久保利通、小松帯刀《たてわき》の四人だけが関知する「奇襲」作戦だとも説かれた。

翌九月に、薩摩藩と長州藩はあらためて、出兵「条約書」を結び、芸州藩も加わる。薩摩藩が、九月中に武力蜂起して、天皇を奪い、大坂城へ攻め入ることも、再度、予定された。このように薩摩藩の初めの計画は、京都の政変と同時に挙兵するというもので、一二月に実際に起こされた王政復古クーデターより、はるかに武力に頼った、まさに討幕の計画であった。

一方、土佐藩は、武力を使わない改革運動を進める。徳川を討つのではなく、徳川慶喜も加えた、「公議」(会議)による、いわば連邦国家をめざす公議政体論である。六月に薩摩藩と結んだ「薩土盟約」では、慶喜が自ら大政を返還、将軍職も辞退して王政復古を実現するとされた。

坂本龍馬の「船中八策」をもとにした「薩土盟約」は、京都の朝廷に上下二院の「議事院」を設け、慶喜以下、公家、大名、藩士、くわえて庶民までが参加するものであった。

江戸後期の幕政や藩政に会議のシステムが成熟していたことは紹介した通りであり、その基盤の上に、欧米の議会制の形を、「万国と並立」するために取りいれるのである。こうして徳川慶喜もいれた大名会議による連邦国家が構想された。このような大名会議が公式に開かれれば、大名の数が圧倒的に多い徳川側が優勢を占めるのは明らかであった。それにもかかわらず薩摩藩は、土佐藩を討幕クーデターに巻き込むために薩土盟約に加わった。木戸が龍馬に説いた言い方によれば、中立の藩をも「少しも損の行かぬ様」、「工夫」をして「引き込む」のである。

藩「有司」の自立

長州藩では、内戦にそなえて、藩政の大改革がすすんだ。幕長戦争を前にして、「有司」の実務役人に実権が集中していった。藩の政務は「国政方」に、財務は「国用方」に、二つの局だけに集められる。その全体を、「用談役」の木戸孝允（禄高、九〇石）が支配し、政治的に中立の実務役人たちも多数、登用された。

武士と庶民混成の諸隊が長州藩の精鋭軍だったが、幕長戦争後、上方でいずれ予想される内戦を前にして、足軽、手子《てご》、中間《ちゅうげん》、陪臣らの下級武士も、装条銃隊（ライフル銃隊）と大隊に編成される。他方で、上級藩士たちは、従卒をつれることを禁じられ、「単騎働き」（一兵卒）となり、「散兵」、つまり地位の低い補助軍に編入されることになった。こうして藩の秩序が逆転した。

木戸は、薩摩藩の小松、西郷、大久保らと協議を重ね、藩をこえた互いの結束を強めた。遠山茂樹がいう「強兵富国開明派の横断的結合」である。政治力を強めた木戸は、「今日の長州も、皇国の病を治しそうろうには、よき道具」と、藩を国家形成の「道具」と見る。木戸や西郷、大久保ら「有司」が、各々の藩から自立し始めたのである。

慶喜、大政奉還を申しでる

土佐藩が、大政奉還を徳川慶喜に建白し、一八六七（慶応三）年一〇月一四日、それを承けた慶喜が大政奉還を申し出、その場で薩摩藩の小松帯刀と土佐藩の後藤象二郎が「英断」に賛同する。討幕をめざす薩摩藩が慶喜に賛同するのは、一見奇異だが、大政返上という幕府の譲歩を、しぶとく利用したのである。慶喜の真意は、大名連合政府をつくり、徳川宗家が抜きん出た筆頭となり、国政の実権をあらためて確保する構想だったと推測される。

このころ、慶喜の求めにより、幕臣西周《にしあまね》が幕府の国家構想を建議した。行政府と議政院の二権を立て、行政府に「全国、外国、国益、度支《たくし》（会計）、寺社」の五事務府が、また、議政院に、大名の上院と藩士の下院が置かれる。慶喜の構想は、ロッシュの援助や、フランスからの借款が不可欠だったとして、かつては、フランスに対する買弁的な構想であると評価された。しかし本国の支持がないロッシュは、日本語通訳官すら引きあげられるみじめな状態だった。従来、

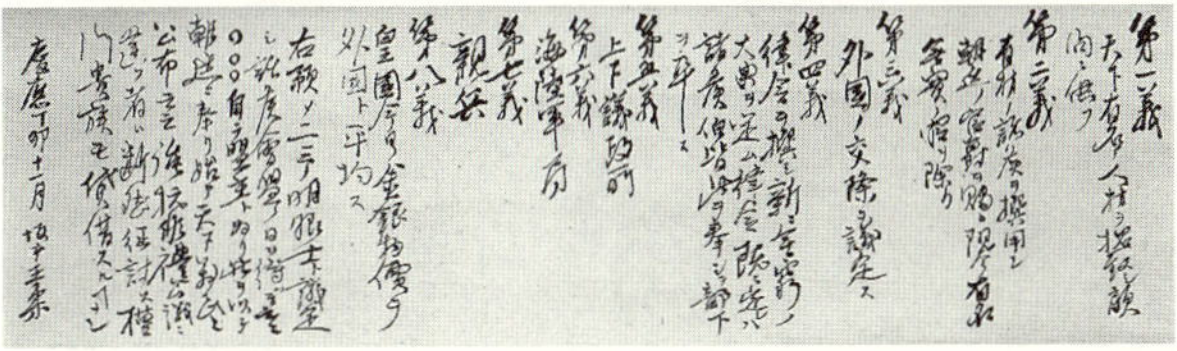

図 **4-1**　坂本龍馬自筆「新政府綱領八策」(1867 年 11 月)．龍馬は，大政奉還後，暗殺の前，新政府案もつくった．4 条 1 行から 2 行，「無窮の大典」．万国公法の「無上の法」憲法．後半の「盟主」「〇〇〇」は，慶喜を想定したといわれる(長府博物館蔵．国会図書館憲政資料室にもある)．

説かれてきたフランスからの「幕府二四〇万ドル軍事借款」が実際には存在しなかったことも近年あらためて確認されている。一方、ロッシュと事ごとに張りあっていたイギリス公使パークスその人が、大政奉還を「リベラルな運動」であり、慶喜も「時代の要請にふさわしい人物」と高く評価した報告を本国へ送っていた。慶喜は、欧米外交団の支持をさらに固めていた。

西周の幕府国家構想では、朝廷の公家は山城国(京都府南部)から「外出」できず、外出しても「平人《ひと》」と均しくあつかわれるなど、朝廷の特権が大幅に制限されていた。維新政府の権威主義的な天皇制国家より、リベラルな国家をめざしていたのである。

大政奉還の上申と同じ日、「賊臣、慶喜」の「殄戮《てんりく》」(殺害)を命ずる「討幕の密勅」が、薩摩藩主と長州藩主に宛てて出される(図 4－2)。藩内の動揺のため出兵を遅らせていた薩摩藩主と重臣を出兵に踏み切らせる狙いがあった。「討幕の密勅」の標題は、天皇が勅命を出す「詔書」であった。しかし、天皇代行の摂政による日付や裁可の記入がない、およそ形式の整わない詔書であった。慶喜討滅の詔書を、幕府派の二条斉敬《なりゆき》摂政から、討幕派が受け取れたはずがない。「討幕の密勅」は、天皇勅命の「密勅」ではなく、天皇とはかかわりないところで造られ、形式の整わない、偽造された密勅、「偽勅」だった。

王政復古クーデター

六七年一二月九日朝、大久保、岩倉らが御所へ入る。薩摩藩、芸州藩の討幕派、そして土佐藩と越前藩、尾張藩の公議政体派の兵力がクーデターに参加して、「王政復古の大号令」が出された。しかし公議政体派は、わずか四日前に、決行を知らされたばかりであった。

徳川慶喜の将軍職辞退を認め、幕府と摂関を廃絶し、「仮に」、総裁、議定《ぎじょう》、参与の三職《さんしょく》を置くと宣言する。参与には、右の五藩から三名ずつの藩士が任命され、西郷、大久保、岩倉、後藤らが入って実権をにぎった。「仮に」三職を置くと記されており、新政府は、まさしく、一種の「臨時革命政府」であった。

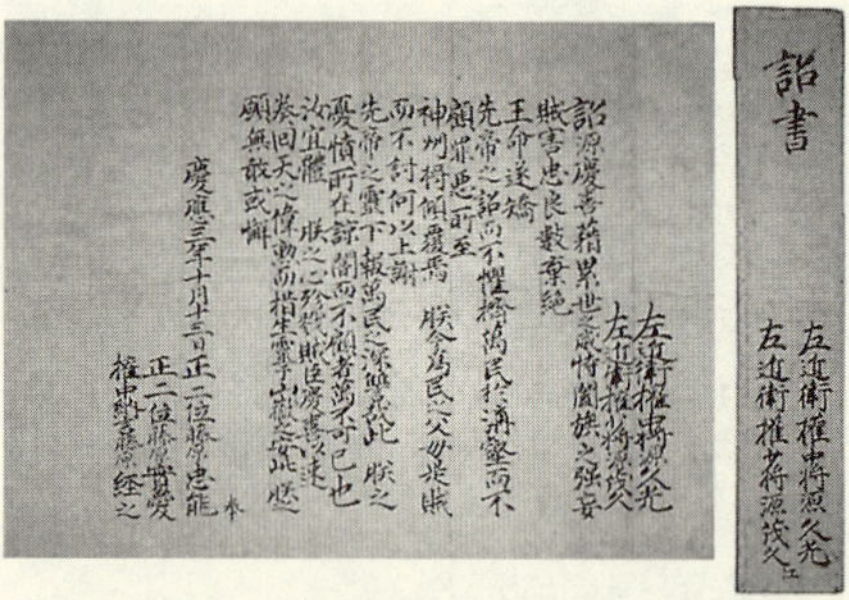
詔書
左近衛権中将源久光
左近衛権少将源茂久へ

詔
左近衛權中將源久光
左近衛權少將源茂久
源慶喜藉累世之威恃闔族之強妄
賊害忠良數棄絶
王命遂矯
先帝之詔而不懼擠萬民於溝壑而不
顧罪惡所至
神州將傾覆焉　朕今爲民之父母是賊
而不討何以上謝
先帝之靈下報萬民之深讐哉此朕之
憂憤所在諒闇而不顧者萬不可已也
汝宜體　朕之心殄戮賊臣慶喜以速
奏回天之偉勲而措生靈于山嶽之安此
願無或懈
慶應三年十月十三日
正二位藤原忠能
正二位藤原實愛
權中納言藤原經之
奉

図4-2　討幕の「密勅」．幼帝代行，摂政の日付と「可」の記入が本来あるべき（鹿児島県歴史資料センター黎明館蔵）．

もともと王政復古と将軍職辞任は、討幕派も公議政体派も共有していた目標だった。薩長の武力討幕派は、圧倒的に少数勢力である。討幕派は、政変後の臨時政府を多数によって正当化するために、土佐藩など公議政体派を、王政復古クーデターにいったん「引き込ん」（木戸）だ。

討幕派の政略は、九月に、木戸が龍馬に宛てた手紙で説明されていた。木戸は、政変全体を「芝居」にたとえ、クーデターを「狂言」と呼ぶ。「狂言」に始まり、「大舞台」（戦争）に進むといい、「狂言」（クーデター）には、「かつかつ舞台の勤まりそうろうものども（公議政体派）は、仲間に引き込む」、それは、「狂言」を「甘く出《で》か」す「工夫」なのである。「甘く」は、ゆるやか、出かすは、卜書《とがき》をこしらえる、であり、つまり幅広く結集するように動かす、の意である。そして、「大舞台」、「大芝居」（戦争）に進むという。クーデターの主導権は、もちろん、手順を詳細に計画し、実行を指導した西郷、大久保、木戸や岩倉にあった。

公議政体派の反撃

クーデター当日、小御所《こごしょ》会議の冒頭で、公議政体派の山内豊信《とよしげ》は、クーデターを批判、従来の幕政を弁護し、慶喜を議定に参加させるよう要求する。クーデターは、「幼沖《ようちゅう》（幼い）の天皇を擁して、権柄《けんぺい》を盗もうとするもの」と言いきった。

すかさず岩倉が、「御前」（天皇の前）と一喝する。休憩中、座外で兵を総指揮していた西郷が、岩倉に「短刀一本あれば、片づく」と伝え、豊信もゆずった。これまで、西郷にふさわしい、殺気を含んだこの一言こそが、新政府を生みだしたと評価されてきた。

しかし当時、天皇はやっと一五歳、しかも元服前でもあった。「幼沖の天皇を擁して」権力を盗むものという豊信の批判には、根拠があった。また、「王政復古の大号令」は、幕府廃絶の理由として、冒頭で、「癸丑《きちゅう》〔一八五三年ペリー来航の年〕以来の国難、先帝、頻年《ひんねん》〔毎年〕、宸禁《しんきん》〔天皇の心〕を悩ませられそうろう御次第」と宣言した。先帝、孝明の外交問題への積年の介入を正当と認め、これに対して、幕府の「失政」の第一に、「各国条約締結」をあげた。

外交問題が主題なのだが、公議政体派の豊信と、討幕派の大号令と、どちらに理があるのだろうか。第1章で紹介したように、幕府外交は、現実的で、合理的でもあった。国際的環境と日本経済の成熟がベースになり、漸進的な幕府外交によって日本社会に開国が定着したのであった。一方、天皇の外交論は、「皇統綿々」、「万王一系」の非合理な神国思想と大国主義であり、「黒土」〔焼け野原〕となることも辞さないという冒険的にすぎるものであった〔ただし、畿内や京都は守護せよという要求は付け加わっていた〕。山内豊信は、かつて条約承認問題で、天皇・朝廷の外交論を「書生同様の論」、「無謀の戦いを求めるもの」と、率直に批判していた。

このように見直せば、小御所会議で議論すべき問題は、実は多々あったはずである。西郷の「短刀一本」という議論を断ち切る発言は、十分に根拠のある発言に対して、天皇の権威と藩の武力を背景にして押しつぶす、恫喝《どうかつ》以外のなにものでもなかった。剛毅な豊信が退いたのは、精鋭さで土佐藩兵にはるかにまさる薩摩藩兵の存在を懸念していたのである。

少数派の討幕派は、幕府が条約を結んだことを「失政」と位置づけ、それを外交の大前提として「万国〔欧米〕対峙」、「万国対立」を国是の第一に掲げて出発する。「万国対峙」には、開化主義と、多分に大国主義への少数派の賭けがあった。

2 戊辰戦争

鳥羽伏見戦争

新政府は、前将軍徳川慶喜に対して「辞官納地《じかんのうち》」、つまり、内大臣の辞職(辞官)と領地領民の返還(納地)を要求し、いわば無条件降伏を求めた。これに対して、新政府内の公議政体派は、慶喜の新政府への参加を求めて、討幕派に反撃をはじめる。

慶喜は、辞官納地の猶予を求めた上で、衝突を避けて、大坂城に退去した。戦争をしない平時の状況では、公議政体派と幕府派の大名が数ではるかに優勢であり、討幕派は、たちまち劣勢になった。松平慶永と山内豊信ら公議政体派は、慶喜の側近と協議して、領地返還の条件を緩和し、慶喜を「臨時革命政府」の議定に任命する手順を決める。三職会議でもこれが承認される。こうして、慶喜の避戦方針によって新政府討幕派は、追いつめられた。

大久保利通は「今日に相成りそうろうては、戦に及ばずそうらえば、皇国の事はそれ限り水泡」と述べ、戦争を待望していた。西郷らは、江戸薩摩藩邸の浪士、草莽をつかって、関東一帯の攪乱工作をすすめる。そして、新政府が慶喜の議定就任をほぼ認め、公議政体派が優勢を決めたかにみえた、その翌日、江戸で、旧幕府側の庄内藩が出陣、薩摩藩邸を包囲、焼き打ちした。

一八六八(慶応四)年元旦、大坂でも、旧幕府が武力反攻を決した。「討薩の表」をもって、薩摩藩の「陰謀」に「誅戮」(罪のある者をころす)を加えると宣言し、幕兵と会津、桑名両藩を主力とする一万五〇〇〇名が京都伏見口と鳥羽口に進軍した。対する薩長軍は、四五〇〇名で、約三分の一の兵力、しかし、精鋭軍であった。討幕派が切望する武力対決の局面は、こうして、旧幕府の側からつくられた。

一月三日、新政府は、徳川軍を「朝敵」と宣言し、迎え撃つ薩長軍に錦旗を授ける。新政府の武力対決方針は、正規の三職会議ではなく、大久保、岩倉、西郷、三条らの非公式の談合、とりわけ岩倉邸での大久保の「必死言上」によって決められた討幕派の「専断」であった。山内豊信ら公議政体派は、抗議の辞任をしたが、討幕派武士と公家の結束をうち破れなかった。

四日間の鳥羽伏見の戦争は、緒戦から薩長が優勢で、慶喜は、大坂城をひそかに脱出、軍艦開陽丸で江戸に逃走する。見捨てられた幕府軍は、四散してしまった。

木戸孝允が「意外千万」というほど、薩長軍の完勝だった。当日の大坂で、イギリス公使館のサトウが、敗走してきた会津藩士から戦況を聞き取っている。薩摩藩兵は「小ぜりあいがじ

図 **4-3**　鳥羽伏見戦争(伏見側，相対する長州と会津)．上と下は，左右ひとつづき．下，長州藩．伏射する三人の兵士．指揮官も銃卒．上，数でまさる会津藩．槍兵も混じり，立ちつくす．戦術の違いも描写．10 年後に現地取材して描かれた(伝遠藤蛙斎　京都国立博物館蔵)．

つにたくみで、元込め銃（スナイドル銃）を持っていた」。幕府の「洋式訓練をうけた部隊」は「まったくやく立たずで」さっさと逃走した、と。

幕府は、幕臣の軍役（将軍への軍事上のつとめ）を金納とし、農町民を雇って常備歩兵軍をつくっていたが、訓練不足で、組織化されておらず、指揮系統も未完成だった。十分に訓練されていた薩長討幕派は、鳥羽伏見戦争ほどの完勝ではなくとも、勝算を持っていた。

江戸開城

主導権を確保した討幕派は、あらためて公然と慶喜追討令を出す。こうして一月中に、西国と中部の幕府側諸藩が無抵抗のまま制圧された。旧幕領や朝敵の藩領は、新政府の直轄地にされる。

京都、大坂など畿内の大商人、百数十人が二条城に集められ、戦費にあてる会計基立金三〇〇万両の募集が命じられた。三井、小野、島田の御《お》為替《かわせ》方《かた》三組の三三万両をはじめ、御用達商人、京都、大坂の一般商人などの応募額が七割以上で、総額二八五万両余、ほぼ目標額に達する。

二月初旬、薩長土の三藩を中心とする東征軍、一万余が江戸をめざして出軍する。大総督府参謀に西郷が就き、東海道、東山道先鋒参謀も薩長土の三藩から任命された。抵抗はほとんどなく、三月中旬に江戸城総攻撃の準備をととのえた。

慶喜は、降伏方針をとった。西郷隆盛と勝海舟の会談を経て、新政府は、慶喜の死罪を撤回、江戸城総攻撃を中止して、徳川宗家の存続を認める。慶喜は、隠居して水戸に謹慎の寛大な処罰にされた。四月、東征軍が無血入城する。

しかし、すぐには新政府の関東制圧はならなかった。旧幕脱走兵部隊、幕臣、旗本、譜代藩士らが東征軍に抗戦した。彰義《しょうぎ》隊が上野に拠って脱走兵部隊と連絡し、これに関東の農民や商人も竹槍などをもって参戦した。

新政府は、兵力不足のため彰義隊を討伐できず、宇都宮城をも旧幕部隊に奪われる窮地におちいった。また、この時、上州と武州の世直し一揆が、「世直し大明神《だいみょうじん》」と自称する打ちこわし一揆を、二月から四月にかけてくりひろげた。新政府は、宇都宮で一揆指導者数名を斬首したのをはじめ、各地で一揆指導者を処刑した。

東征軍は、「五万人」と公称されたが、実際は、薩長土を中心とする一万人余であり、江戸市中警備も旧幕府に依頼するほど、兵力不足が深刻で、彰義隊討伐に着手できなかった。イギリス公使パークスが、新政府に慶喜の寛大処分を強硬に要求したといわれてきたが、萩原延壽が精査したイギリス外交文書によれば、パークスは、内戦に不干渉方針を貫いており、慶喜の助命希望を表明した以外の事実はないのである(『遠い崖』)。慶喜の寛大処分の背景には、東征軍の深刻な兵力、資金不足がある。くわえて、関東一帯の「世直し一揆」の騒乱が展開しており、支配体制全般が深刻な危機的状況にあった。

東征軍の内部では、彰義隊討伐についても、寛厳両論があった。長州藩出身の軍防事務局判事、大村益次郎が強硬方針を通し、五月中旬、上野戦争で、彰義隊は壊滅する。その結果、江戸市中と関東一帯が新政府によって制圧された。五月下旬には、徳川家を駿河府中藩七〇万石に移すことが公表される。七月に「自今《じこん》〔これから〕、江戸を称して東京とせん」と東京に改称、一〇月には三三〇〇人余の行列で天皇が入京し、東京遷都の段取りが進んだ。

北越・東北戦争、箱館戦争

新政府は、東北諸藩に会津藩征討を強硬に命令した。一方、会津藩の寛大処分を求める東北諸藩は、五月上旬に二五藩が奥羽列藩同盟を結ぶ。同盟側は、仙台藩内の白石《しろいし》に公議府を置き、北陸諸藩も加えて奥羽越列藩同盟を結成する。五月から北越で、新政府軍と列藩同盟軍のあいだに戊辰戦争屈指の激戦が展開され、同盟軍は、一時、長岡城を奪回し、焦土戦が続いたが、七月に入って新政府軍が越後を制圧した。この間、後に紹介するように長岡藩領などで打ちこわし一揆が蜂起した。その後、東北戦争でも、列藩同盟軍と会津藩が降伏し、九月下旬に戦争は事実上おわる。

列藩同盟軍の形勢が不利に転じた八月下旬、品川沖の旧幕府艦隊が出航する。旧幕軍などを加えて北上、約三〇〇〇名で蝦夷地を占領する。士官の「入札」(投票)で幹部の人事を決め、総裁に榎本武揚《たけあき》が就いた。新政府に、旧幕臣救済の領地を確保するための蝦夷地開拓経営を嘆願する。しかし、翌六九年三月、新政府軍が北上、榎本軍は五稜郭を中心にして抗戦したものの、新政府が入手した東アジア最強の「鋼鉄艦」のアームストロング砲に砲撃されて降伏した。こうして、一年五カ月におよんだ戊辰戦争は終了した。

3　幕末維新期の民衆

草莽隊

戊辰戦争には、浪士や豪農商が、草莽隊を組織して参戦した。十津川郷士隊、赤報隊、高野挙兵組、居之《きょし》隊、北辰隊、金華隊、多田隊、山国隊、応変隊など多数がある。なかでも、赤報隊に参加した相楽総三《さがらそうぞう》隊が注目すべき事例である。

赤報隊は、近江で結成された。草莽、相楽総三は、新政府によって関東進軍の「先鋒」に任命され、「民心」を得るため幕府領の「年貢軽減」布告を建白する。これを採用した新政府は、旧幕領に「当分、租税半減」と年貢半減令を布告する。現在、中国地方の旧幕領で新政府の布告発令が確認されている。

官軍の「嚮導《きょうどう》〔先導〕先鋒」に任じられた相楽は、赤報隊の一番隊（相楽隊）として年貢半減を布告しながら進軍する。相楽隊の六割が農民や商人だった。ところが、西国を早期に制圧した新政府は、一月下旬に、年貢半減令を撤回、赤報隊に帰還を命ずる。しかし、相楽隊は、年貢半減令の布告を諸藩領にも拡げつつ、総勢二二〇人から二三〇人で諏訪湖北岸の下諏訪まで進出した。三月初め、新政府は、相楽ら幹部を捕らえ、「偽官軍」の罪状をもって梟首に処した。

『夜明け前』に描かれているように、島崎藤村の父正樹も、相楽の同志に金二〇両を提供する。相楽隊進出の背後には、地域の豪農商の支持があった。第3章（一〇六頁）で紹介したように、幕末期、畿内で「代議制の前段階」まで活性化していた、豪農商の先鋭的な人々が、激しい世直し一揆にさらされて政治意識に目覚め、戊辰戦争に参戦したのである。しかし、新政府は、独自の活動を見せた草莽隊に対して、容赦のない弾圧を加えて排除するのだった。

ふたつの世直し一揆とええじゃないか

一八六六年、戊辰戦争の二年前、幕長戦争の際にも世直し一揆が起きていた。戦乱に凶作が重なり、百姓一揆や村方騒動などをあわせると、実に一八五件、江戸時代最多の一揆件数に達する。六六年は、戦争と世直し一揆の年であった。そして、翌々六八年、戊辰戦争の際には、戦場になった地域を中心に、ふたたび一四一件の一揆や騒動が起こる。件数では二年前よりやや少ないが、後述のように、激しさを格段に高めた世直し一揆が展開する。ふたつの「世直し一揆の年」にはさまれる六七年には、「ええじゃないか」の民衆運動が起きた。

世直し一揆は、「窮民」を自称する百姓たちが、不正の村役人や富民に対して、「打ちこわし」へと立ちあがるものである。

六六年、幕長戦争の一カ月前、五月初旬に、幕府側の大軍勢が駐屯する摂津で、女房たちの米安売り要求から打ちこわしが始まる。大坂市中の船場《せんば》や天満《てんま》、難波《なんば》も席巻し、打ちこわされた商家は、八八五軒におよんだ。江戸では、打ちこわし一揆勢は、五月下旬に品川から江戸府内に入り、町ごとに旗をたてて救助米金の施行《せぎょう》（ほどこし）を求めて、六月初旬まで、江戸府内二〇〇軒以上を打ちこわす。

六月下旬、武州一帯で、米安売りや施行、質物の返還などを求めて、打ちこわし一揆勢が七日間、蜂起する。「諸国太平」、「万民安穏」、「平均世直し将軍」などの旗や幟《のぼり》を掲げ、参加者は、十数万人、打ちこわされた家は、二〇〇カ村、五二〇軒におよんだ。同じころ、陸奥国信夫《しのぶ》・伊達郡では、生糸改印のための冥加金《みょうがきん》（新税）に反対して、一揆が起き、六日間、一八〇軒余が打ちこわされる。一方、長州藩との戦争に敗れた豊前小倉藩では、八月、藩が城を焼いて退却した日から三日間、打ちこわし一揆がつづいた。この蜂起は激しく、維新以前ではじめて、家屋焼き打ち、公用帳簿焼き捨てが行われた。それ以前、江戸時代の一揆勢の規律は厳重で、家屋をこなみじんに打ちこわしても、「放火」は厳しく禁じていた。一線がのりこえられはじめたのである。

「ええじゃないか」の六七年をはさんだ六八年のはじめ、関東地方では、「ええじゃないか」が終息した後、新政府東征軍が江戸に到着する直前の二月下旬に、上州世直し一揆が起きる。

六六年の一揆よりも、はるかに激しく、村役人や商人の家を焼き打ちし、不正村役人の罷免、公選を要求、質地の無償返還を求めた。「世直し大明神」の旗を掲げて、上州ほぼ全域をおおい、四月までつづく。江戸時代には、例外的にしか見られなかった家屋放火、公用帳簿焼き捨てが各地ではげしく展開したのだった（図4－4）。関東に入った新政府軍は、一揆指導者を多数、斬首刑に処したが、今のところ、その処刑数は明らかでない。

図4-4　上州世直し一揆の「焼きはらい」．瓦版の文章，「焼きはらい」を三度くり返した(「世態雑観」より，東京大学史料編纂所蔵)．

少し遅れて、三月下旬から始まった武州世直し一揆も、やはり「世直し大明神」の旗のもと、四月中旬まで展開した。北越戦争で焦土戦の戦場となった越後では、村松藩領下田《しただ》郷で八月下旬から村役人公選を要求して打ちこわし一揆が起こる。一〇月上旬には、会津戦争の戦場となった会津六郡の会津ヤーヤー一揆が、「肝煎《きもいり》征伐」を唱え、村役人の罷免を求めて蜂起する。やはり、村役人の家屋などを焼き打ちし、公用帳簿を焼却し、世直しの綱領を作成した。

伝統世界の権利意識

世直し一揆は民衆世界のなかの運動で、村役人や富民の、領主との結託や、米穀の買い占めなど「不正」を糾弾し、「施行」を求めた。「百姓は、百姓だけの趣意にて、世の見せしめに、不仁の者をこらしめる」。一揆は、「天魔、鬼神のよう成るもの」、「阿修羅《あしゅら》王(仏法の守護神、戦争を好む)のあれたる如」き様にたとえられ、豪農たちが、「一揆様、一揆様、さあさあ御酒をあがりなされ、握り飯をおあがりなされ」と挨拶をした。一揆勢が特別の権威をもち、地域社会の秩序が転倒する。

世直し一揆には、民衆の伝統世界に根ざした「権利意識」の流れ込んでいることが、近年、明らかにされており、その一例を質地の返還を求める運動に見ることができる。

一八六六年(慶応二)の武州世直し一揆では、百姓たちは、流れてしまった質地の「元金返し」を要求した。そして、翌々年の武州世直し一揆でも、「この度、世直しに付き、貸し金とそのほか、質物に至るまで、残らず、あい返し申すべく」と、流れてしまった質地の無償での返還、あるいは年賦での返還を要求した。いずれも、一揆の要求は、一見、道理を越えたものに見えるが、江戸時代民衆運動の研究者は、次のような村の慣行が背景にあったことを掘り起こしている。

江戸時代、村々には、「無年季、金子、有り合い次第、取り戻し慣行」があった。農民は、年限をかぎらず、借りた元金を返しさえすれば、質に入れた土地を、何時であっても、請け戻

図 **4-5**　「ええじゃないか」の図(京都).「着物は大抵，緋縮緬」,「〔おどりながら〕ぞろぞろと入ってきた」. 大坂でのサトウの実見談と同じ(「近世珍話」より，京都国立博物館蔵)

しできるという慣行が江戸時代初期からひろく認められていた。江戸時代中期に、この百姓世界の慣行が衰え、たいていは二〇年、その人、一代に限り質地返還の要求ができるという「証文主義」が一般的になった。ところが、驚くべきことに、一九世紀に入るころ「無年季、質地請け戻し慣行」が村々で、ふたたび勢いを取り戻していたのである。したがって世直し一揆勢が、流れた質地「元金返し」を要求するのは、百姓の伝統的世界の慣行からいえば、まったく正当なものだった。

百姓一揆に、強い平等思想が流れていることも、近年、あらためて注目されている。一揆勢は、武士に向きあう場面で、「御百姓」と自称、自負してやまなかった。世直し一揆が、庄屋の罷免や公選を要求するのも、伝統世界の慣行に根ざした要求であった。

「ええじゃないか」は、六七(慶応三)年七月中旬、三河吉田町近くの牟呂村の「お札降り」から始まる。東は横浜と江戸、西は京都と大坂から広島へ、南は土佐、北は丹後までひろがり、翌年二月下旬、上州世直し一揆が激しく始まるとともに終息した。「富民」の施行を求め、「ええじゃないか」や「世直り」と囃《はや》しながら、その日を「遊び日」(休日)にさせて、庶民の男女が異装して踊り狂う。お札降りや乱舞など、江戸時代のおかげ参りにつながる民衆の伝統世界の「遊び日」の祝祭であった。「ええじゃないか」は、六六年と、それに次いでいっそう激化した六八年の、ふたつの世直し一揆を、民衆の伝統世界の深部の力でつないでいたのである。

4　近代国家の創出

五箇条の誓文

江戸城総攻撃が迫った六八年三月中旬、京都御所で五箇条の誓文が発布される。発布セレモニーは、天皇と諸侯が互いに誓いあうという原案が、「皇祖皇宗《こうそこうそう》」(天皇歴代の祖先)に向かって天皇が百官、諸侯を率いて新政を誓うという天皇を中心とする神国国家スタイルに変えられたものだった。

第一条は、「広く会議を興し、万機公論に決すべし」と公論を宣言、第二、三条では「上下《しょうか》心を一つにして」、「官武一途、庶民に至るまで」と、全人民の一致が命じられた。

注目されるのは、第五条で「智識を世界に求め、大いに皇基を振起すべし」と開化方針が示されたことである。欧米の文明(「智識」)を摂取して、天皇制近代国家の基礎(「皇基」)をつくる、という宣言である。

第四条でも、「旧来の陋習《ろうしゅう》を破」ると、江戸時代の伝統社会が「陋習」、つまり、未開とされた。前近代、江戸社会を「陋習」とする、欧米がもっていた未開に対する差別の思想の問題点は、前に説明した。旧幕府はそうした未開観を受け容れなかったが、新政府は、欧米中心の「文明と未開」の見方にみずから同調する。

外交では、一八六八年一月と二月、備前藩が外国側に発砲する神戸事件、そして、土佐藩兵がフランス水兵を殺害した堺事件などが起きている。新政府は、「万国対峙」と宣言したのだが、攘夷事件の自国犯人に対して、旧幕時代とはちがって、欧米の要求をさきどりした苛酷な処刑を、すすんで行い、欧米の文明に同化する(文明をとり入れる)道を進みはじめた。パークスは、新政府との関係は、第1章で見たように、欧米に同調せず、欧米を手こずらせた旧幕府との関係より「ずっと良い」と横浜にいる夫人に知らせている。

欧米の行政システムの導入

新政府の政府組織として、一月に三職七科の制が公布される。「神祇、内国、外国、海陸軍務、会計、刑法、制度」の七つの専門部局制である。専門部局システムは、ヨーロッパの近代政府組織ではじめて登場し、中国で漢訳(中国語訳)された欧米書籍に記され、坂本龍馬が「船中八策」で示し、幕臣や欧米外交官が紹介したものである。これに対して、江戸時代の行政システムは、たとえば、寺社奉行に全国寺社領の宗教、民政、司法の権があり、町奉行に、江戸市中の民政と司法の権があるように、入り交じったもので、研究者が「棲《す》み分け」とも評する組織であった。もともと、ヨーロッパでは、前近代の細分化され、複雑に入りくんだ行政から、シンプルな一元化された専門部局制が生まれるには数世紀を要した。最初に司法と財務で、遅れて外交と軍事で、専門部局制が官僚群を養成しながら形成された。それは、会計官、軍務官、外国官のように、できあがってみれば簡単明瞭な、理解しやすい「支配の装置」なのだが、ひとたび取り入れられると、国内行政の一元的統轄という、最高に強力な「権力」を生みだす。──イギリスの歴史家ホブズボームが言うように、産業革命期の技術革新の全ては、高等教育を必要としない、簡単明瞭なものであった。ライフル銃のライフル(らせん)の実用化もその一例である。──後発国にある程度の行政近代化の条件があれば、この専門部局制システムの「知」は、実は容易に導入される。幕府では、幕末に外国専任の老中が登場したように、また、長州藩に実権を握る実務役人が登場したように、新政府の専門部局制官僚が登場する、日本の内的な近代化の条件はできあがっていた。

会計官と内国官

新政府の部局制の要は、「政務第一」の会計と内国であった。会計部局の全権を握った由利公正《きみまさ》は、戦費のために「三千万の国民に三千万両」と計算された金札を発行する。由利は、「三千万両の反古《ほご》で天下を買うたが、ナント安い物だろう」と豪語する。政府が紙幣を乱発したために日本社会に一大騒乱が起こるが、こうして新政府は、戦費をまかなうことができた。全国の財務統轄の「権力」を握ったことではじめて可能になった政治的賭けである。

内国(制度)部局では、権力を握ったのは、大久保利通である。大久保自身、かつて薩摩藩の宮廷工作者であった。「朝廷、数百年、因順の腐臭」と、大久保の朝廷観は、厳しい。「〔朝廷の〕地を鋤《す》き、根を植え替え、断然、一新」と、それが、「内国事務の大根本にして、今日、寸刻も置くべからざる」課題であった。大久保は、この前に大坂行幸を行い、やがて東京遷都を実行し、そのなかで、天皇側近と政府から、公家と女官、京都文化との結びつきを排除していく。ここでも、激烈な反対と混乱があったが、内国事務の権力を握ったことで無理やり急進的改革を押し進める。

西郷隆盛や岩倉具視、小松、大久保、木戸らは、「支配の装置」、専門部局制を導入することで、後発国日本の政府の行政権力を、実態はまだ幼弱であっても、いっきに握ったのである。諸藩の「有司」は、こうして新政府の官僚、有司という権力者群になった。権力の中心になるのは、せいぜい一〇名ほどで、そして権力の本当の頂点にいたといえるのは、岩倉、三条、西郷、大久保、木戸と小松(七〇年、病死)の、公家と薩長出身の六名である。

政体書　五箇条の誓文の「智識を世界に求め」て天皇制国家をつくる、という宣言を実行したのが、六八年閏四月下旬の「政体書」発令である。

政体書は、太政官という「唯一の権力」のもとに七官を構成する。七官を、議政官(立法)と行政官(行政)、刑法官(司法)という三権に分ける。欧米の三権分立の模倣なのである。三権独立のための兼官を禁止する規定すら導入された。

図4－6のように、右側の議政官は、上局と下局の二院制議会になる。上局に、議定と参与があり、下局は、府藩県から出る議員(「貢士」)で構成される。中央の行政官の下に、神祇官、

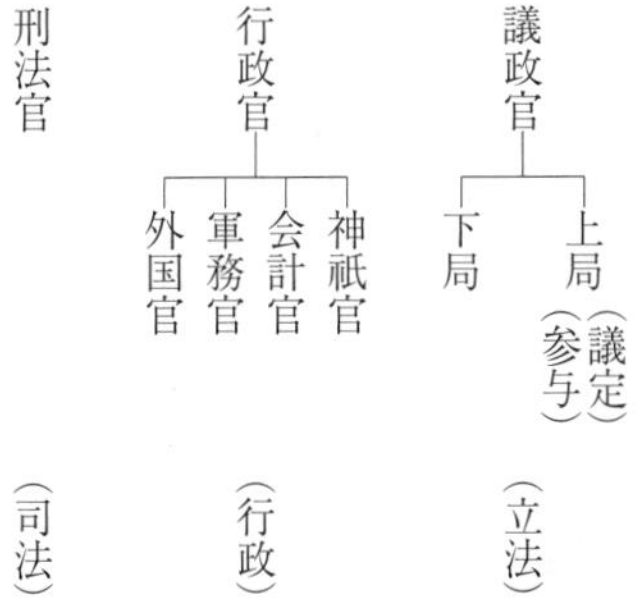

図4-6　政体書の三権分立．上局の「参与」に岩倉・大久保・木戸らが任じられた．

会計官、軍務官、外国官の四官が置かれた。そして、左側の刑法官が司法にあたる。議会の下局は、実態としては諮問機関にすぎなかったし、刑法官も脆弱なものしかできなかったのだが、それにしても、政体書の欧米政治制度の導入には、驚くべきものがある。

『聯邦《れんぽう》史略』(中国で漢訳されたアメリカ史)や『西洋事情』(福沢諭吉の著書)が、欧米制度のテキストとして使われた。なかでも参考にされたのは、中国で漢訳された近代国際法のテキスト、『万国公法』である。アメリカ

の国際法学者(ホイートン)の大著の漢訳版である。『万国公法』は、第一巻で各国の近代的国家制度を説明しており、そのなかで、アメリカ合衆国憲法によりつつ、同国の国家制度を紹介する。この漢訳アメリカ合衆国憲法が、政体書の各所に語句を引用され、また、法理も導入されているのである。

政体書を読むとすぐに分かるのだが、三権分立が導入され、兼官を禁止する規定すらなぞられたのだが、兼官禁止は、実は各所で破られている。そのため、政体書は、アメリカ合衆国憲法の「皮相な模倣」であり、その先進性も「外見的な形」にすぎないと、しばしば、否定的に評価される。だが、後発国での近代国家の急造には、このような「皮相な模倣」や「外見的な形」にすぎない面がつきまとう。

アメリカ合衆国憲法の導入

政体書は、岩倉邸などで、大久保、木戸、小松、由利、後藤象二郎ら薩長土肥越(越前藩)の「有司」たちが、二カ月をかけて練り上げたものである。薩長土肥越出身の「有司」たちは、そろって議政官上局の参与に就任する。ここに政体書の権力の源が置かれたのである。

政体書は、太政官に対する藩などの権限を規定している。「府、藩、県、その政令を施す、また御誓文(五箇条の誓文)を体すべし」、私に爵位を与えず、通宝(貨幣)を鋳造せず、外国人を雇わず、隣藩や外国と盟約を立てない、「小権をもって大権を犯し、政体を乱さない」と(第

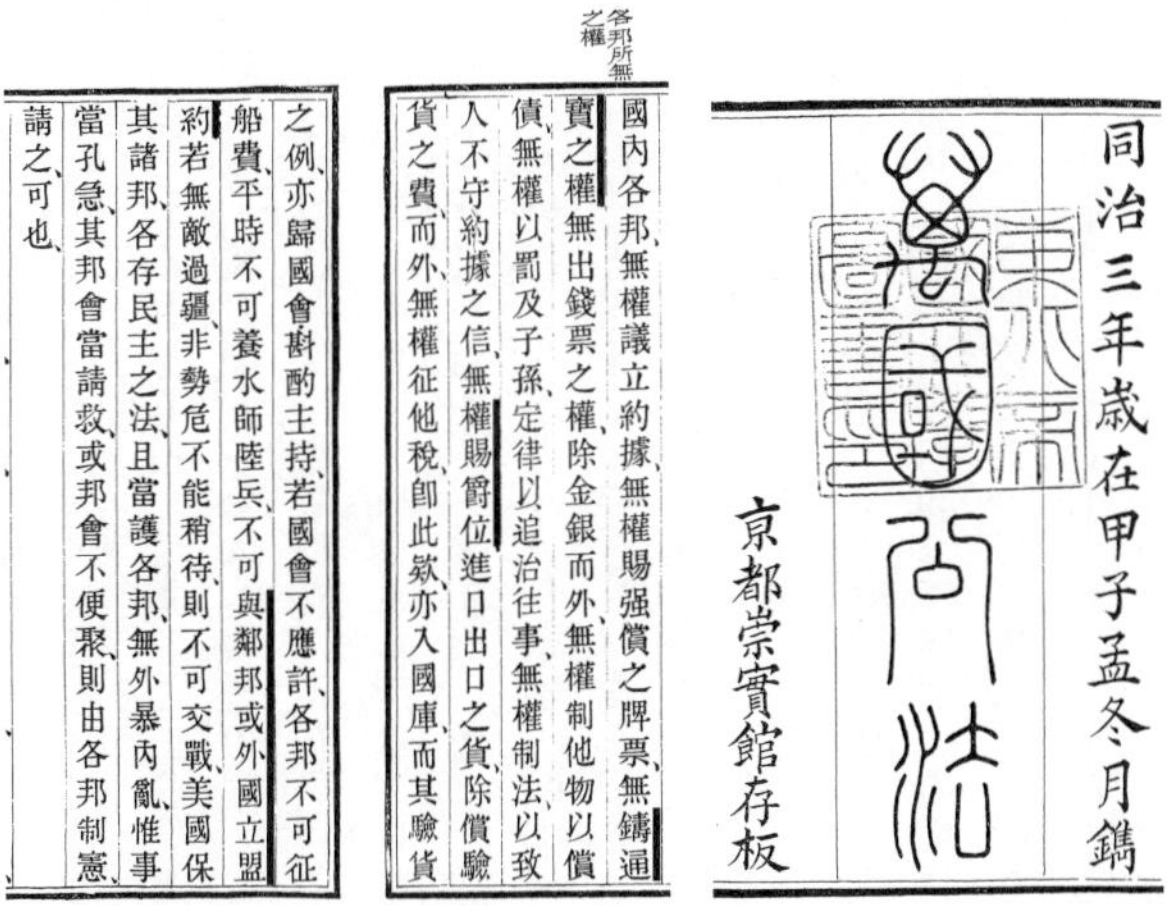
同治三年歳在甲子孟冬月鐫
萬國公法
京都崇實館存板

各邦所無之權

國內各邦、無權議立約據、無權賜强償之牌票、無鑄通寶之權、無出錢票之權、除金銀而外無權制他物以償債、無權以罰及子孫、定律以追治往事、無權制法、以致人不守約據之信、無權賜爵位、進口出口之貨、除償驗貨之費而外、無權征他稅、卽此欵亦入國庫、而其驗貨之例、亦歸國會斟酌主持、若國會不應許、各邦不可征船費、平時不可養水師陸兵、不可與鄰邦或外國立盟約、若無敵過疆、非勢危不能稍待、則不可交戰、美國保其諸邦、各存民主之法、且當護各邦、無外暴內亂、惟事當孔急、其邦會當請救、或邦會不便聚、則由各邦制憲請之、可也、

図 4-7 『万国公法』第 1 巻第 2 章第 24 節(部分). アメリカ合衆国憲法第 1 条第 10 節の要約. 頭注は,「各邦〔州〕になきところの権」. 通宝(貨幣)や爵位, 隣邦・外国などの語句が見える. 傍線部, 政体書に語句がそのまま採用された箇所の一例(北京版. 東北大学附属図書館蔵).

一一条)。藩が、太政官に全面的に従属することを、法文は明確に規定している。

政体書のこの条は、『万国公法』に漢訳されたアメリカ合衆国憲法第一条第一〇節の「連邦議会と権限」の要点など『万国公法』各所を参照し、漢訳された爵位や通宝、隣藩(「隣邦」)などの語句もそのまま引用している。図4-7は、政体書に引用された一例で、『万国公法』の合衆国憲法第一条の漢訳部分である。『万国公法』のこの節(第二四節)の冒頭では、当時の欧米の国家統合の二つのタイプが説明されている。一つが、アメリカ合衆国のように強力に中央集権化された連邦制の国であり、もう一つが、プロシアによって統一される前の北ドイツ連邦であり、バラバラな連合国制である。当時、後者の北ドイツ連邦は、それぞれが外交権も持って小邦分立し、衰退した旧帝国という定評であった。前者の新興国アメリカは「合邦の国」と、後者のドイツは「会盟の国」と呼ばれている。

こうしたことは、維新政府の「有司」には知られていた。一八六八年一月、伊藤博文は、アーネスト・サトウに、自分と木戸は、日本に「現在の制度では望み得ない有力な政府」が創立されなければならないと考えている。「各藩の大名がまちまちの流儀で軍隊の教練をやったりするのを放任するかぎり、日本は、強国にはなり得ない。北ドイツ連邦で、その実例が繰りかえされた」と述べるのである。こうして、政体書は、府・藩・県の自立を認めない、アメリカ合衆国、「合邦の国」の強力な中央集権制の統合の法理を、アメリカ合衆国憲法も手引きにしながら導入しているのである。

藩の分立という状況のなかで、集権と分権の選択の問題に維新政府は、深刻に直面していた。目を世界に向けてみれば、アメリカ合衆国で、国家独立当初、憲法制定において紛糾したのも、集権と分権の問題であって、憲法草案は、辛うじて可決された。近代国家制度の成立に、下部構造の影響力は大きいし、政治の内的な近代化がある程度すすんでいることが必要であるが、一方、現代史を見ればわかるように、人為の占める要因も重大なのであって、国家制度の選択肢の幅は広く、多様である。近代の主権国家システムのインパクトのなかで、非ヨーロッパ、後発国として、維新政府の少数派の有司権力者たちは、議政官上局に結束して、アメリカ合衆国の強力な集権国家型の統合を選択した。

戊辰戦争が事実上終息すると、新政府は、藩治職制《はんちしょくせい》を出して、藩の改革、人材登用を求め、家老や用人を、執政、参事と改称させ、「議事の制」(地方議会)の導入などを命ずる。薩長などで進んでいた、藩の有司の実権掌握を、開化政策によって各藩にもうながした。

5　版籍奉還と廃藩置県

集権国家へ

政体書の制度の上では、「天下の権力」すべてが太政官に帰すはずだった。しかし戊辰戦争のあとも、実際の上では、太政官への統合ができたわけではなかった。たとえば、にせ金問題がある。諸藩と民間で、功労藩の薩摩藩においてすら、にせ金がさかんに鋳造された。庶民は、にせ金に苦しみ、各地で、世直し一揆勢が蜂起する。政体書には、貨幣の私鋳禁止が明記されていたが、ほとんど効果はなかった。

政体書の欧米にならった統合は、このように空文同然であった。一八六八(明治元)年末、木戸と大久保は、藩の領土と人民(版籍)返上への尽力に同意する。翌年一月、薩長土肥の有力四大名に版籍奉還建白書を出させる。木戸らは、空文になりかかった政体書の「統合」を押しとおす。

「皇統一系」であり、「尺土も私せず」、「一民も私せず」という万世一系の神国思想、王土王民論がまず述べられる。「徳川支配」の「因習の久しき」をあらためるために、版籍をかえして、集権制をつくり、「万国と並立すべし」という、開化策が建白される。

三月、欧米の政治知識(大した知識ではなかった――『大隈伯昔日譚』の大隈自身の証言)をもつ大隈重信が会計官につき、全国財務の実権をとる。大隈をもりたてたのが木戸孝允で、大隈を中心として急進的な開化と集権をすすめる維新官僚グループ、木戸派が形成され、伊藤博文や井上馨らが参加する。

大隈らは、上からの藩の統制を強力にすすめる。金札を藩に強制的に割り当て、通商司を設置して藩営商業を禁止すると、諸藩の反発が起きた。一方、大久保や広沢真臣は、同じく中央集権をめざすのだが、制度としての統合をややゆるめ、藩を当分維持する漸進的な開化策を主張した。木戸らと争いつつ、しかし大局的には、ともに集権化をすすめた。

このころ、議政官下局の公議所で、諸藩公議人に対して、版籍奉還の諮問が行われるが、集権的な郡県論と分権的な封建論があい半ばしていた。国内全体では、幕府時代と同じ分権的な統合の持続が現実の実態であった。

北方と朝鮮の「危機」

一八六九（明治二）年六月に、ロシアが、サハリン南部のクシュンコタン（大泊）を占拠した。大久保は、北方の危機について、維新政府が「大英断」をもって、「戦を決し」て進出するほかないと、対露戦争にもそなえる強硬外交を主張する。

木戸孝允も、六九年初頭から朝鮮へ軍隊を派遣する征韓論を述べており、一二月には、長州藩の諸隊脱隊騒動のために取りやめになるのだが、新政府は、木戸の中国・朝鮮への派遣を、いったんは決めた。

大久保や木戸のロシアや朝鮮に対する外交意見は、まさに「万国対峙」で、大国主義的であり、強硬だが、サハリン南部へのロシア進出に対して、新政府にロシアと戦う軍事的な準備があったわけではない。イギリスのパークス公使は、日露の国力の違いを指摘して、新政府に慎重論を助言する。パークスは、中国に接する朝鮮を、ロシアとの対抗上、重視しており、ロシアが朝鮮に手をつける風聞があるので、日本が着手することを助言した。翌七〇年に、木戸は、征韓（朝鮮侵略）の必要を論じつつも、軍事力の備えがないとして、実際には、慎重論に転ずる。新政府は、六九年、北方の蝦夷地に開拓使をおき、北海道とあらためたが、廃藩置県まで、開拓使の施策は、ごくかぎられたもので、成果もすくなかった。

新政府の対外的な強硬論、軍隊派遣論は、このころ、実体と一貫性を欠いていた。集権をめぐって政府と国内を結束させるために、外交意見は動揺しやすく、しばしば誇張されていた。

版籍奉還

急進派の木戸らは、版籍奉還にあたって、あたらしい藩の長官、知藩事に旧大名を世襲させず、一部の入れかえを主張した。一方、大久保らは、現状のままの再任用を求める。

六九年六月一七日、版籍奉還の布告が出る。知藩事を現状通り、再任命する、しかし世襲は、木戸派の主張のように否定された。

つづいて諸藩に「諸務変革」が布達される。諸藩の現米(貢租米)、産物、支出、職制、藩士・兵卒の人数、人口、戸数などの概要書き上げが命じられる。また知藩事の家禄は、藩実収高の十分の一とされた。そうして一門以下、平士まで、すべてが士族と称され、知藩事にならった禄制改革が指示される。

同じ「十分の一削減」でも、藩総実収高の一〇分の一になるのと、個人の家禄が一〇分の一になるのでは、事情はまったくちがう。藩士にとって、一〇分の一削減は、たとえ一〇〇〇石の上級藩士であっても、恐るべく苛酷な削減になった。実際、旧朝敵藩や小藩では、藩士全員がなんとか生活が維持できる程度の家禄に平均化された。これに対して、藩主の場合、世襲を否定されたのだが、家禄で十二分に優遇された。幕末には、藩主の家計は藩歳入の一〇分の一以下になっていたからである。

新政府は、簡明にいえば、藩主を優遇する一方、藩士には冷酷だった。かつて長州藩の「有司」は、藩主をたてて藩士を抑圧したが、同じ集権化の動向が、維新後もつづいているのである。

職員令が発令され、神祇官と太政官の二官制、民部、大蔵など六省が設置される。神祇官の並立は復古主義である。しかし、そのような形を採用しながら、実際には公家の官員が減らされた。大名も、松平慶永（大蔵卿）と伊達宗城（民部卿）以外は、主要な官員からのぞかれる。大名は、天皇の「藩屏《はんぺい》」として、華族という特権階級になる。このように新政府は、大名を祭りあげて、しかも支配層のなかにとり込んだ。ここに版籍奉還成功の重要なひとつの秘密がある。こうして、政府の実権は、雄藩下級武士出身の「有司」ににぎられることになる。

兵部省に大村益次郎、大蔵省では大隈重信が大輔に就き、兵部、大蔵の重要な両省を急進派が占めた。

大蔵省と開化

大村はフランス式の国民皆兵制の導入を計画したが、大久保や攘夷派士族の反対にあう。しかも、一八六九（明治二）年九月、攘夷派に暗殺され、軍制改革のテンポはおくれた。

一方、大蔵省では、中堅の伊藤博文や井上馨が就任し、実務にくわしい旧幕臣も多数、井上らの下に登用される。大蔵と民部の役職を大隈と井上が兼ね、両省が合併される。大蔵・民部省は、財政と民政を管轄する巨大官庁になった。大隈は、通商会社や為替会社を開港場や三都に設立する一方で、大商人を組織し、全国要地の豪農商も参加させた。

図 **4-8**　一揆の旗．鎌がシンボルだった(木綿地)．五万石騒動・群馬郡高崎藩領強訴・越訴．民部省は越訴をいっさい弾圧(『週刊朝日百科 日本の歴史』81)．

一八七〇年三月に、大蔵省は、電信機、蒸気機関車の導入を決定する。灯台や電信、鉄道、鉱山、造幣局の設立をすすめ、新政府の困難な財政事情のなかで、中央の開化事業のための財政を総花的に投入する。それは、政府の官省経費をしのぐか、あるいは匹敵する額におよんだ。六月には、東洋銀行から鉄道公債一〇〇万ポンドの巨額外債を起債する。新政府は、対外債務を増加させることすら意に介さなかった。

当時の国家歳入は、一〇〇〇万円から一五〇〇万円程度だが、内外債を募り、太政官札を乱発し、通常と臨時歳出をあわせた額は三〇〇〇万円規模に達した。大久保らの漸進派は、こうした急進的開化事業に抵抗し、七月、大蔵省と民部省はふたたび分離される。しかし、閏一〇月に、木戸派が企画する工部省が設置され、大隈の大蔵省は、依然として急進的な開化事業を主導する。

新政府は、直轄の府県八〇〇万石からの貢租で、鉄道、電信その他の中央の総花的開化事業投資を行った。そのため、大蔵省は、「府県奉職規則」で、地方官の判断による貢租減額を一切厳禁した。しかも、六九年は、大凶作になった。貢租減免をみとめたために免職処分などをうける地方官があいつぐ。有能な地方官であった日田県知事松方正義は、「旧幕にもない」新税すらもうけられ、「余りの苛政」と政府を批判する。

六九年の農民暴動の件数は、新政府の苛政のために、六八年をしのぎ、江戸時代最多の一揆件数を示した六六年に次ぐものになった。

代表的な一揆を見ると、二月には、旧慣を廃止した増税に反対する高山県の梅村騒動がおき、七月と八月に、信濃の飯田藩、上田藩、伊那県、さらに九月に、越後の糸魚川藩で「にせ金」をめぐる一揆がつづく。一〇月には、酒田県の天狗騒動が、「半年貢」を要求し、焼き打ちも行う。同月、高年貢反対の高崎藩の五万石騒動、年貢減免を求める金沢藩領越中国のバンドリ騒動も起こった。バンドリとは蓑《みの》で、一揆の時に着用した。一一月には、摂津の三田《さんだ》藩の一揆は「年貢半減」を求め、三田藩はこれをみとめる。同月、篠山《ささやま》藩でも、「年貢半減」をかかげる一揆がおきる。一二月の品川県の御門訴《ごもんそ》事件も、事実上増税に対する反対一揆であった。

前年の世直し一揆の焼き打ち以降、激化した運動がさらに高揚していた。開化事業推進のための重税に大凶作がかさなり、年貢減免を求めて一連の大一揆がおきたのである。注目されるのは、酒田県と三田藩、篠山藩で「年貢半減」要求が出されたことである。

このころ、諸藩の年収入は、諸藩全体で九一二万石余。一方、七三年の廃藩置県時、諸藩の債務の概数をあげると、国内債七四〇〇万円、外国債四〇〇万円、そして藩札は四七〇〇万円で、合計一億二五〇〇万円余であった。藩は、平均して歳入の三・五倍以上の債務を負っており、藩財政は、きわめて悪化していた。

藩体制の解体

版籍奉還についで、新政府の「諸務変革」令が諸藩に出され、禄制改革が指令される。小藩や旧朝敵藩では、藩士が上士、下士を問わず、何とか生活ができるレベルに平均化してしまった。また、山口藩や高知藩などでは、家禄を削減の上、禄券を発行して、売買を認める。これらの禄制改革の結果、廃藩置県当時、諸藩の士族と卒の家禄の削減率は維新前と較べると平均してほぼ半減する。藩体制の主要部分は、実は、廃藩置県前に、解体されていたのである。

翌一八七〇年九月、「藩制」が公布される。藩歳入のなかの軍事費は九パーセント、その半分を海軍費として政府に納めるよう指定された。また、藩債は、家禄や藩庁費を削減して償却することを命じられ、藩札も回収させられる。

これによって藩債の起債は、事実上、禁止されてしまった。藩営商業も版籍奉還のころ、すでに禁止されていた。近世後期以来、藩財政は、三都大商人からの藩債で成りたっており、藩営商業も、薩摩藩を例に紹介したように、藩財政をおおきく補塡《ほてん》していた。こうして藩財政の維持は、事実上不可能になる。藩は、急進的な革新か、あるいは廃藩か、どちらかを選ばざるをえなくなる。事実、廃藩置県前に、小藩と旧朝敵藩のうち、一三の藩が廃藩を願いでて、県あるいは他の藩と合併した。そのなかには、旧朝敵藩で一三万石の盛岡藩や二万石の長岡藩、あるいは功労藩でも四万三〇〇〇石の津和野藩などの有力藩も見られた。

非薩長有力藩の急進的改革

大蔵省主導の藩制の施行に対して反発したのは、薩摩藩と長州藩などである。海軍費政府納入に猛反発した薩摩藩代表は、集議院の藩制審議に出席しなくなる。藩制が施行される九月、同藩は、在京常備兵二大隊を地元へ引き上げ、交代兵を出さなかった。この前、一八六九年から、薩摩藩では、西郷隆盛が主導して藩政を改革したが、下級武士は優遇され、兵一万三〇〇〇人という大部隊が温存されていた。薩摩藩は、藩制の規定に従えば、兵力をいっきに一八八四名に削減しなければならなかった。

図 4-9 熊本の知事塔の一つ. 1870 年 7 月の減税布告を彫る.「全く年貢夫役のからき故なりと, 我ふかく恥ぢおそる」(布告文中). 1873 年暮の建立, 萩岳山頂の塔(撮影＝三澤純).

その一方では、開化政策に対応して、藩政を改革する大藩も多かった。新政府が「藩治職制」、「諸務変革」そして「藩制」でうながした改革を、政府の指針よりさらに徹底して行う有力藩が登場するのである。

和歌山藩は、藩主の家禄を「諸務変革」の指針のさらに半額の五パーセントとし、上級士族の家禄も、指針の削減率を上まわり、わずか二五分の一に削減する。士族の軍役負担を免除し、士農工商は四民同権とされ、徴兵制を導入、プロイセン式の軍制改革を実行する。また熊本藩では、改革に豪農商が参加し、雑税が廃止され、貢租が大幅に軽減される。士族は事実上解体され、上下二院の議会も設立される。高知藩では、板垣退助大参事に指導されて、士族に禄券を与え、家産化を認めた。一般士族は禄高の三分の一を削減、士族の職を解き、「人民平均」とし、藩庁が「民政司」と位置づけられた。

これにくらべて、木戸孝允らに指導された山口藩の藩政改革は、新政府の「諸務変革」などの指針に沿った改革にすぎない。西郷隆盛が指導した薩摩藩も、禄制改革は実施したが、下級士族を優遇した改革にとどまっていた。

このように非薩長の和歌山藩、熊本藩、高知藩などの改革は、薩長両藩の改革より、さらに開明的であった。これら非薩長藩に登場した有司は、大蔵省の木戸派が中央の急進的総花的開化事業に一方的に諸藩を巻きこみ、農民に高年貢を強いることを批判するのだった。一方、このころ薩摩藩の政府離反の世評がさかんになっていた。

ここで、欧米から帰国した山県有朋《ありとも》や、当年の普仏戦争開戦を実見してきた西郷従道《つぐみち》らが新政府と薩摩藩を仲介する。七〇年の末頃に、木戸や大久保は、在薩の西郷隆盛に働きかけて中央政府改革への同意を得ることに成功する。西郷も、薩長をしのぐ開明的改革を実行し、軍制改革でも成果をあげる非薩長有力諸藩の動向を警戒していた。薩摩藩と長州藩に高知藩も加えた三藩の兵を上京させ、中央政府の親兵とすることが決定され、翌七一年四月下旬から三藩の約八〇〇〇名の兵が上京、中央の親兵に編入される。

同じころ、名古屋藩や徳島藩、鳥取藩、高知藩は、兵権を兵部省に移し、小藩を大藩に合併、知藩事が辞職して、人材を登用し、こうして「万国と並立」、ないし「万国と対峙」することを建言した。このように、非薩長の有力大藩は、いっそうの開明的改革と政治参加を求めた。これに対して、岩倉具視や三条実美は、非薩長の改革派大藩の動きを評価し、大藩会議による中央集権の構想を提言しはじめる。岩倉と大隈は、「大藩同心意見書」を作成し、一七〇ほどの小藩を大藩に合併して、大藩を州と改称し、知事を東京府貫属とするなどの、非薩長大藩改革派の動向を受け容れた郡県制構想、ゆるやかな中央集権策を打ち出すのだった。

攘夷派の蜂起、農民の一揆

山口藩では、一八六九年一一月、諸隊を四大隊に削減する藩の改革構想に反発して、諸隊兵士一八〇〇名余が脱走、蜂起し、木戸孝允自らが帰藩して鎮圧にあたった。翌年、鎮圧がなり、木戸は諸隊への威信を回復する。処罰は二二一名、そのうち、死罪は九三名という苛酷なものであった。脱走兵士の約四〇パーセントが農民や商人であった。

脱走兵士の指導者、大楽《だいらく》源太郎は久留米藩に保護される。このころ、旧尊王攘夷派の草莽の反政府の激発テロがつづいた。六九年一月には、開明派の横井小楠が、同九月には大村益次郎が暗殺される。政府の暗殺犯処刑は延期に延期をかさね、攘夷派と薩摩藩の連携すら懸念された。一八七一年一月には、攘夷派弾圧にあたっていた広沢真臣も暗殺される。維新政府は、三月初めに久留米藩などに大弾圧を実行した。

厳格な統制のない脱走歩兵は、軍としては弱兵であり、広沢真臣は、この攘夷派の蜂起よりも、農民の一揆を怖れていた。前年にひきつづいて、一八七〇年の後半期にも、直轄府県を中心として農民一揆が激しく起こった。

七月には、越後の栃尾郷で、五〇〇〇人が打ちこわしに蜂起し、村ごとに村旗を立てて、柏崎県庁へ向かい、庄屋公選などを求める。一一月、日田《ひた》県打ちこわし一揆は六〇〇〇人から七〇〇〇人ほどの勢力をもって庄屋を打ちこわし、帳面を焼きすて、さらに日田県庁を襲った。県庁官舎を打ちこわし、監獄を打ちこわして囚人を解放、県の下級官員大属ほか一人を殺害する。同じ、一一月、信濃の松代《まつしろ》藩では、にせ金をめぐって二万人が蜂起、打ちこわし、焼き打ちを行い、大参事の居宅が放火される。一二月には、伊那県で打ちこわしが起き、「年貢半減」を要求した。須坂《すざか》藩でも、打ちこわし、焼き打ちの一揆勢が蜂起、大参事の屋敷を打ちこわす。

さらに中野県では、にせ金をめぐって官が設置した商社が打ちこわされ、下級官員権大属が一揆勢によって殺害される。中野町一帯は焼き打ちされ、五二四軒が焼失、県庁舎が焼き払われた。二二名が絞首刑に処せられる。翌年、二月にも、福島県で、年貢減免を求める一揆が起きる。県庁が農民に「子孫娘まで引き当て、借金」をしても、年貢を納入せよと迫ったために蜂起したのである。東京から福島県へ、岡山藩兵一大隊が鎮圧に動員された。

廃藩クーデター

薩摩藩から西郷が上京し、薩長土の三藩兵も東京に集結したのだが、政府改革について木戸と大久保が対立し、改革の行方は、混迷していた。非薩長有力大藩の急進改革派も、地方の民衆を犠牲にして急進的な開化事業をすすめる木戸派を批判して政府への参加を求めていた。その改革は、開明性の点で政府を乗りこえていた。右に見たように、新政府の貢租増徴にさらされた府県の農民は、打ちこわしだけではなく、焼き打ちを繰り広げ、県庁や大参事の居宅を焼き打ちし、下級官員を殺害するなど、激化し、府県支配を揺るがしていた。こうして、新政府、なかでも木戸派は、まったく孤立して進むべき方向をなくしていた。

兵部省中堅の鳥尾小弥太《こやた》、野村靖、山県有朋らが廃藩による、上からの中央集権の徹底を主張する。木戸はもちろん、西郷や大久保も賛同する。西郷も、非薩長有力藩の改革が、政府の政治改革に先行する勢いを示している事態を注目していた。木戸と大久保は、中央政府の統合構想について、立法重視か行政重視かをめぐって対立するが、もっと根本的な上からの廃藩断行という急進的な中央集権徹底の目標を立てることで、両者は協力するのである。

廃藩クーデターは、公家の岩倉と三条には、わずか二日前に知らされたにすぎなかった。非薩長有力藩の政治改革運動にも参加していた高知藩の有司には廃藩断行計画は、ついに知らされなかった。さらに、非薩長有力藩の開明派「有司」には、何の連係もなかった。

一八七一年七月一四日、薩長出身の有司だけが集結し、廃藩置県の詔書が出される。詔書は、わずか二〇〇字足らず、「内もって億兆を保安し、外もって万国と対峙」するために、「今、藩を廃し、県と為し」と短く述べるだけである。薩長出身の有司は、少数で結束をかためて、開化事業推進をゆるめず、府藩県制をいっきに打開し、専制的中央集権をさらに強化して打ちたてる廃藩クーデターを選択した。少数派が掲げたのは、またも「万国対峙」であった。

第5章 「脱アジア」への道

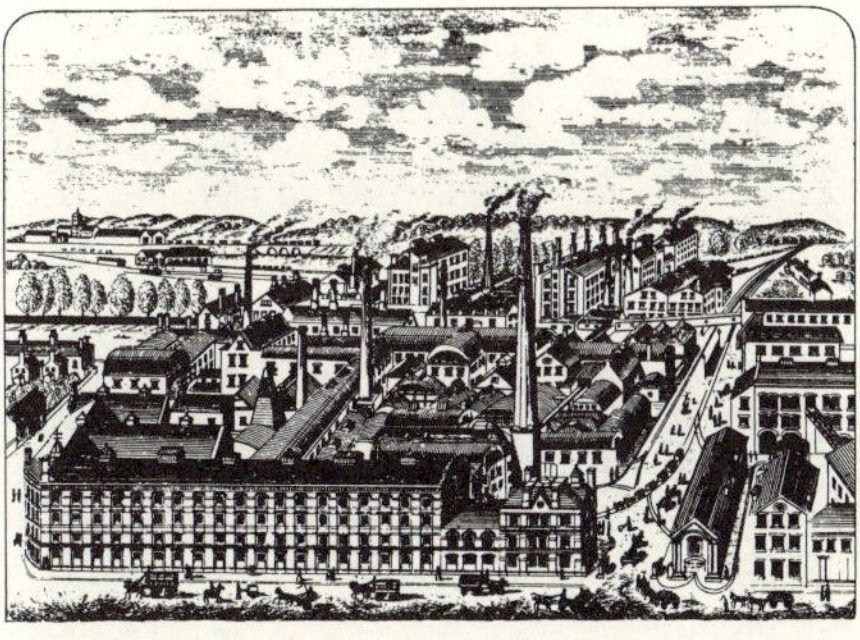

ビスケット工場(レディング市). ハントリー・アンド・パルマーズ会社(『特命全権大使 米欧回覧実記』第40章).

1　急進的な改革

ロンドン近郊のビスケット製造工場の図が、岩倉使節団『米欧回覧実記』に掲載されている。使節団が視察に訪れたのは一八七二年一〇月で、一二〇種類のビスケットの型がつくられる工場は、章扉の図のように、三層、四層の大工場群になっていた。職人は二二〇〇から二三〇〇人、「広大なること、実に意想の外に出」た。経営者は、三、四人の零細工場から出発し、世界的な富豪になったという。

岩倉使節団

岩倉具視《ともみ》全権大使、木戸孝允と大久保利通、伊藤博文らの副使以下四六名に留学生らを加え、総勢一〇七名の使節団が横浜を出発したのは、前年の一一月一二日であり、ロンドンを訪れた時は出発から一一カ月がたっていた。

当時、欧米と結んだ条約の改定期限、七二年五月が迫っていた。使節団派遣の「事由《じゆう》書」は、条約が不平等なのは日本が「東洋の一種の国体、政俗」だからだと開化の必要を述べていた。廃藩置県後も、不平等を解消する「一大機会」どころか、欧米は清国の天津条約（敗戦条約）なみの権益を獲得する好機ととらえており、明治政府は「困難を受くるの一大機会」に直面しており、それを転じて「盛業を起こす機会」にするために米欧を巡回すると説明された。しかし、このような言説に幻惑されてはならない。政府要人が、いっせいに長期外遊できるほど、実は、列強との関係は安定していた。

「急務」とされたのは、法律、財政、外交という切実だった三点であり、「日本に採用」するために「実際の景況を実見」する。たとえば廃藩置県の直前に、新貨条例で円・銭・厘という十進法の貨幣単位によって「円」が誕生していた。世界水準の金本位制という構想だったけれども、貿易のために従来通りの貿易銀貨を発行せざるをえなかった。また使節団出発時、新橋・横浜の鉄道が工事中で、使節団ロンドン滞在中に開通する。しかしイギリスの鉄道網とは天地の違いがあった。岩倉や大久保、木戸たちは、欧米文明が近代産業の発展に深く根ざしていることを知ったのである。当初の三年で欧米に並ぶという意見もあった開化構想は楽観にすぎた。帰国後の使節団の人々は、日本出発前の欧化構想を、表面的であまりに急進にすぎると批判し、しかしながら、急進的開化の推進という枠組みはけっして変えないで、殖産興業と軍事力充実を比較的重んずる「内治優先」をとなえる。

廃藩後の政府と社会

一八七一年の廃藩置県直後の改革で、太政官は正院《せい》、左院、右院の三院にかえられた。正院は、立法、行政、司法の三権を統轄し、太政大臣に三条実美《さねとみ》、右大臣に岩倉が就任する。参議にも木戸、西郷隆盛、板垣退助、大隈重信の実力者が任命された。

左院は、立法権をつよくする意図でおかれたが、当初非力であった。諸省の長官で構成するのが右院である。外務、大蔵、工部、兵部(のち陸軍と海軍に分離)、司法、文部、神祇、宮内の八省が設置される。旧公家や大名のほとんどが退陣させられ、薩長土肥出身の有司が中枢をしめた。正院参議たちが主導権をとるように、参議と右院の省長官の兼務を禁じた。それでも正院は統合の役割を果せず、旧民部官も併せる権限を握った大蔵省と諸省の激突が起こった。

廃藩から二〇日後、広島県下の一〇万人余が蜂起する「武一《ぶいち》騒動」にはじまり、中国・四国地方を中心として、廃藩反対一揆が続発する。この年だけで一六件あり、大部分が旧藩主を引き留めるという、独自の要求をかかげた激しい一揆であった。

一揆勢は、竹槍や鉄砲をもち、官側の豪農商や官員の居宅、地方役所などを焼き打ちし、官の帳簿を焼き捨てた。放火を自制した江戸時代の一揆とは激しさの質がまったく異なっていた。貢租が増徴されるとの風説が飛ぶ。知事家禄が旧藩歳入の一〇分の一にされたのだから民の租税負担も一〇分の一にせよとの要求も出た(岡山県の一揆)。貢租をめぐる要求が強かったのは、旧直轄県の苛酷だった「年貢増徴」が怖れられたのである。岩倉使節団が横浜港を出港する一一月一二日は、津県で起きた伊賀国騒動の二日目で、一揆勢が伊賀北部から津県庁をめざして打ちこわしをくりひろげ、二つの峠で士族隊の銃撃にあい、死者をだしていた。

一揆の要求は貢租増徴反対、寺社宗教政策反対、解放令反対など多彩であった。解放令反対は、一揆勢の残酷な被差別部落襲撃をともない、民衆運動のかかえた弱点を示していた。明治政府は一揆に厳罰でのぞむ。「死刑たりとも即決」と命じ、事実、播但《ばんたん》一揆(兵庫県)で一九名が即決裁判で死罪に処せられた。

急進的な改革

使節団米欧派遣の間の日本政府は、留守政府と呼ばれており、その中心は木戸側近の井上馨大蔵大輔《たゆう》だった。使節団と留守政府との「約定書」で改革に一定の枠がはめられていたが、留守政府は、それにかまわず当時「鬼の居ぬまの洗濯」と評されたいっそう急進的な改革を次々に実施した。華族や士族と平民のあいだの結婚や、華族や士族などが農工商の職業に就くことも自由になった。

しかし、使節団出発前にも、急進的改革として賤民廃止令(解放令)があった。一八七一年八月に「穢多《えた》、非人《ひにん》などの称、廃せられそうろう条、自今、身分、職業とも平民同様たるべき事」と布告されたのである。もともと五六(安政三)年に岡山藩で千数百人の被差別部落民が蜂起して、藩の差別強化を撤廃させた「渋染《しぶぞ》め一揆」に象徴されるように、江戸時代後期、被差別部落民の身分解放を求める運動が強力だった。解放令は必然的な流れである。

だが賤民廃止令が発令される直接のきっかけは、地租改正関連法案の発令だった。廃藩置県後、すぐに地租改正が政府の政策課題になり、土地売買を自由にして地券を出す政策がとられる。それまで「穢多」や「非人」は「社会外」の存在とされ、その宅地も「土地外の土地」であった。下級の刑吏役や「斃牛馬《たおれぎゅうば》」(牛馬の死骸)処理をつとめるかわりに年貢が免除されていた。いわゆる無租地であり、「穢多」や「非人」の居住地も特定の場所に制限されていた。一方、明治政府はあらゆる土地に画一的に地券を発行して税をとるために、社寺地や武家地などをふくめた無租地の自由売買を許可し、租税も負担させた。すべての土地の売買自由化こそが、人民の活力を引き出すのであり、それが旧弊の否定だという、きわめて単純な文明化の理解に基づいていた。こうして七一年八月、すべての無租地廃止が布告される。「穢多」、「非人」の宅地も売買を認め、租税をかけた。同時に、「穢多」、「非人」の居住制限の解除も必要になる。「社会外」という隔離支配は不可能になり、結局、無租地廃止の九日後に、賤民身分自体の廃止令が出された。

このように地租改正の障害になるので、被差別部落民は上から即時、無条件に解放された。「解放」が名称の廃止にとどまったということこれまでの評価が不十分だったことも近年の研究で明らかにされた。被差別部落民は、皮革製造などの差別と結びついた独占権からも「解放」という名目で、その権利を取りあげられ、被差別部落民の多くが生活基盤を壊されたが、政府はそれを放置した。政策の都合で上から唐突に、しかも不用意に差別が撤廃されたために、被差別部落民の生活に大打撃を与えて、社会的な差別はかえって続いた。

徴兵令と学制

一八七二(明治五)年一一月、岩倉使節団がイギリスからパリへ入ったころ、「徴兵告諭」と「全国募兵の詔」が出される。「征韓」や「征台」(朝鮮侵略や台湾侵略)が議論されはじめていたころである。翌年一月に実施された徴兵令は「双刀を帯び、武士と称し、厚顔坐食し、甚だしきに至っては、人を殺し、官その罪を問はざる」と士族を激しく批判する。「四民」は「自由」の権利を得たのだから「国家の災害を防ぐ」ために尽くすべしと国民皆兵を宣言した。二〇歳の男子を徴兵検査と抽選で選んで三年間、常備軍（現役兵）に編成した（図5-1）。常備軍のあとは第一後備役（のちの予備兵）、ついで第二後備役（のちの後備兵）に就くとする。常備役と後備役兵以外の一七歳から四〇歳の男子すべてが国民軍に編成された。これが欧州視察から帰った山県有朋兵部卿がプロシアに習った国民皆兵制である。プロシアは後備兵と国民軍によって強大な軍隊を編成し、普仏戦争でも七〇万の大軍隊を動員した。

図 **5-1**　徴兵の図．戸長が，青年たちを徴兵検査場へ，「召し連れ」て出頭する．徴兵令第4章「徴兵検査」の第1条．

　徴兵令施行後、戦争に正規軍として現役兵四万六〇〇〇人の動員が可能になった。もちろんプロシアにははるかに及ばない。徴兵令の緒言末尾には、常備兵、後備兵、国民軍は「地方の守衛に充つ」という言葉が見られ、地方警察軍にすぎなかったという見方があるが、「全国大挙の役〔戦争〕」には、国民軍が「管内の守衛」をする

（徴兵令の徴兵編成並概則、其三）とも明記されており、戦争も想定した、他の改革と同様に急進的な制度の発足だった。大蔵省は乏しい国家予算も徴兵令施行には厚く配分した。

学校制度の制定も急進的であった。文部大輔江藤新平がその任にあたり、取り調べ開始からわずか八カ月で施行された。大中小の学区に分割し、大学、中学、小学校を設けるとした。全国に五万三七六〇校の小学校をいっきに設立する構想であった。フランスの学制にならって「邑《むら》に不学の戸なく、家に不学の人なからしめん」という画一的な国民皆学制構想で、個人の功利主義を引き出す趣旨であった。四年後の七六年には二万六五八四校、目標のほぼ半数が開校した。就学率は七八年に四一・三パーセントと推定されている。高い達成率で、欧米の教育普及率に遜色がない。寺子屋から学校への転用が多かった。幕末の寺子屋開設数は三万から四万と推定されており、寺子屋の普及が基盤になった。一方で授業料は月額五〇銭、高額すぎる民衆負担に頼ったことになる。民間から小学校の開設を申し出る動きも見られたが、その反面、財源のない改革の強行は、政府へのはげしい反発を招いた。

新政と大蔵省

「開化ラッシュ」がおこった。イギリス方式を導入した郵便制度は七一年にはじまり、アメリカのナショナルバンクを導入した国立銀行条例が七二年に発足、太陰暦の一二月三日を元日とする欧米の太陽暦が七三年に導入される。六八年に伝統の五節句の「遊び日」を廃止して、紀元節や天長節などが新設されていたが、「祝日」を全国的に法令で確定したのも七三年である。

紀元節は、中国の辛酉《しんゆう》革命思想(孔子を神格化した讖緯《しんい》説)に基づいて神話の紀元前六六〇年元日を神武天皇の即位日と決め、太陽暦に換算した日が一月二九日であったが、先帝孝明天皇祭に近かったためか、二月一一日に変更された。このように、何の根拠もない日なのだが、神聖な天皇制の祝祭日と指定され、天皇制による上からの国民統合に利用されてゆく。

予算をにぎる大蔵省は、司法省や文部省の急進的改革を抑圧した。その後、七三年夏に江藤や後藤象二郎、大木喬任《たかとう》ら、司法省や左院、文部省の長が正院参議に入って、正院の権限を強化し、土肥閥が留守政府の主導権を奪った。井上馨大蔵大輔らは辞職、開化ラッシュと藩閥の争いで井上らはいったん敗北する。

井上らの大蔵省が穏健派であったわけではない。同省は、七三年に急進的な地租改正条例を発令している。地租改正が本格化するのは、次の大久保政権下である(後述)。徴兵令に予算配分を厚くしたのも、村や町に通し番号の名称をつけるという、破天荒なまでに画一的な大区小区制を七二年に布いたのも大蔵省である。

郡を大区に、大区を小区に分け、大区に区長、小区に戸長を置いた。戸長も官選で、身分は官吏に準じ、他府県人や士族が任命された地域もある。江戸時代の「寄り合い」や町村の惣代としての役割をになう社会の伝統的慣行を「旧弊」と否定し、住民の政治参加を排した。戸長は、中央の忠実な末端にされた。戸長を通じて、徴兵制や学制、地租改正が強権的に実施されるのである。こうして戸長が民衆の憤激の矢面に立った。

新政反対一揆

一八七三年は、明治初年一揆の一つのピークとなった。主なものをあげれば、五月から六月にかけて北条県(岡山県北部)血税一揆がおき、その後、最大の筑前(福岡県北西部)竹槍一揆、そして鳥取県会見《あいみ》郡(同県西部)徴兵令反対一揆、広島県徴兵令・解放令反対一揆、讃州竹槍騒動、天草血税騒動、島根県徴兵令反対一揆とつづいてゆく。戸長からの徴兵名簿提出期限の六月から反対一揆がそれ以前にもましてつぎつぎにおこる。徴兵告諭に「血税」の文字があり、徴兵を「血取り」、「子取り」とし、政府要人を「異人」とか「耶蘇宗」と呼ぶ流言が流れた。江戸時代、百姓は、年貢は納めていたが、兵事にはかかわらなかった。明治政府は、貢租を減らさないし、しかも庶民を兵にとる。人民の負担は明治政府によって格段に加重されたのである。徴兵を「血取り」、「子取り」と言う流言は、的を射ていた。

北条県で、白衣を着た「血取り」役人が来るという流言を流したのは、旧村役人で、県庁に徴兵・地券・学校・屠牛・斬髪・解放令などの反対を嘆願し、ついで戸長、下級県吏、小学校、被差別部落への焼き打ちへと向かう。戸長への反発はとくに激しかった。「戸長征伐」と称され、戸長宅がことごとく焼き打ちされた。

北条県血税一揆では下級県吏と戸長五九戸、小学校一八カ所、被差別部落三一四戸が焼き打ちされた。一揆後、斬罪は一五名、全体で二万七〇〇〇名が処罰された。最大の蜂起になった筑前竹槍一揆では、官吏、戸長、豪農商一一三三戸が、さらに被差別部落一五〇〇戸も焼き打ちされた。この一揆は県庁に突入し、書類などを焼き捨てた。四名が死刑、もっとも軽い笞三〇以下を含めて全体で六万四〇〇〇名が処罰され、福岡県の総戸数の七一パーセントが処罰された。部落襲撃が多いのは、前述のように、上から政府の都合を先にして行われた解放令の問題と、民衆が差別意識を根強く持っていたことを示している。

廃藩反対一揆で政府が即決処刑を認めたことを紹介したが、その時でも「付和随行」の一揆参加者は処罰されなかった。それが江戸時代以来の一揆処罰の原則でもあった。百姓の一揆参加は事実上、黙認されていた。しかし新政反対一揆では、七二年八月に、「付和随行」の一揆参加者も処罰の対象にされ、右のように膨大な処罰が行われたのである。つまり明治政府は、かつては黙認されていた一揆そのものをいっさい容赦しないという強硬方針に大きく転換したのである。民衆の側も、成熟した伝統社会を権力によって壊してゆく明治政府を「耶蘇宗」というほどに拒絶し、双方が真正面から対決する。

2　東北アジアの中で

明治初年の外交

明治政府は、近隣のアジア諸国へも、強硬な外交を進める。明治初年にさかのぼって、朝鮮との外交の概略を見ておこう。一八六八（明治元）年一二月、維新政府は、朝鮮政府に「大政一新」を知らせる外交文書、「書契《しょけい》」を送る。朝鮮政府は、「皇」や「奉勅」の文字などが前例に反すると、受け取りをことわった。

江戸時代、徳川幕府と朝鮮政府は、対馬藩を介して対等な交隣外交をつづけていた。朝鮮は、中国を宗主国とする冊封《さくほう》（封爵《ほうしゃく》を受ける）関係を結んでおり、明帝国の崩壊後は、清国政府が満州民族の政府であったこともあり、朝鮮小中華思想を発展させ、一方の幕府は武威思想を固めており、両者が衝突しながらも交隣外交をしていた。一九世紀に入ると、朝鮮との国際関係も安定し、対馬あるいは大坂を舞台に通信使の来日こそ実現しなかったが、なお交隣の外交関係を維持していた。

もともとヨーロッパでは、近代国際法によって国家の平等権が国の強弱にかかわりなく認められていた。しかし、西欧のこの国家平等権もようやく一九世紀前後になって国家相互の外交儀礼を厳格に定めてつくられたものである。江戸時代、日朝双方が、裏面での衝突を重ねながらも儀礼や文書を厳格に取り扱って公的に交隣外交を持続した意義は、実はきわめて大きい。
朝鮮は、徳川幕府を朝鮮国王と同格に位置づけたので、江戸時代の後期には、朝鮮国王より天皇を上位に扱う可能性を危惧し、「壬辰倭乱《イムジンウェラン》」の秀吉侵攻でしみ込んだ不信感を強めていた。また、六六年の丙寅洋擾《ピョンインヤンヨ》と七一年の辛未《シンミ》洋擾ではフランスとアメリカの軍艦を再度にわたって撃退し、攘夷の機運がさかんであった。

議定岩倉具視は六九年に、清国と朝鮮、日本は「同文の国」であり、「旧好を修め、もって鼎立《ていりつ》の勢いを立つべし」と日中朝の連携論を述べたことがあった。こうした東アジア三国の連携論もあったが、維新政府で有力になるのは、木戸孝允が同年に述べたような強硬論である。外交文書を受け取らないのは「無礼」であり、「兵力をもって、韓地釜山付港」を開かせるという武力朝鮮侵略論、征韓論である。版籍奉還後の七〇年五月、外務省は、朝鮮外交を担ってきた対馬宗家の外交権を没収した。そして年末には外務省官吏を釜山に派遣するが、帰国した官吏は、出兵による征韓論を唱える始末であった。征韓論を主張したとしても、廃藩置県前の維新政府に対外戦争を準備する財源はなかったのだが。

当時の朝鮮社会と日本社会

廃藩置県前後、開化を進める明治政府は外交文書を受け取らない朝鮮を「固陋」、未開、野蛮とする言説をつくりあげる。当時、朝鮮の社会の実情は、日本とくらべてどうだったのであろうか。朝鮮の民衆運動の要点だけであるが、

図5-2　民乱から甲午農民軍がうまれた．「農民軍全州占領パフォーマンス」をする全州市民．民主化運動以来，記念行事がつづけられている（『東学農民革命〔甲午農民戦争〕国際学術大会資料集』全州市，2001年）．

日本の民衆運動と比較しながら紹介しよう。

朝鮮では日本とちがって民衆の移動が自由で、村も開放的であった。一九世紀に入ると、両班《ヤンバン》の急増、中間層の登場に示されるように身分制の解体が進んでいた。また丁若鏞《チョンヤギョン》のように土地改革構想を述べ、日本の古学派にも深い学問的関心をもった在野の開明的な実学者が登場した。

一九世紀の朝鮮でも民乱《ミンラン》が多く起こった。日本で尊王攘夷運動がさかんだった一八六二(文久二)年、晋州《チンジュ》民乱をきっかけに、五〇カ所で起こった壬戌《イムスル》民乱が代表的である。民乱は、日本の一揆と同様に、鋤や鍬などの農具をシンボルとして持ち、くわえて、竹槍や棍棒も持っていた。ただし、鑓や火器は持たず、面《ミョン》や里《リ》(日本の村にあたる)名を記した旗を先頭に行進した。民乱の規律が厳しかったことも日本と同じである。ちがうのは、民乱の激しさである。下級地方官である衙前《アジョン》などは、民衆と直に接するために、民乱によって、しばしば「死の制裁」を課せられた。また、中央派遣の高官、守令《スリョン》らに対しては、「籠に入れて、官家から担ぎ出し、村はずれで放り出す」、

「担昇《タムスン》」などが、普通に行われた。家屋の焼き打ち、公用帳簿の焼き捨てもされた。ダイナミックさは、江戸時代の一揆を越えている。これと並ぶのは、維新以後の一揆だろう。くわえて、六二年の有名な咸平《ハンピョン》の民乱にしても、打ちこわし、守令を追放して、監獄を解放し、自治を約二カ月間つづけた。日本の維新期の一揆は、最大の筑前竹槍一揆でもわずか一二日間で終息している。

咸平の民乱では、六名の首謀者が梟首になった。朝鮮の民乱では、首謀者が「梟首《キョウス》」で、幹部は「定配《チョンベ》」(流刑)に処せられ、不正の地方官もほとんどが刑に処せられた。

一方、日本の筑前竹槍一揆は、鎮圧後、三名が斬罪になり、懲役一年以上が九二名、笞三〇以下には、六万四〇〇〇名余が処せられた。江戸期の一揆でも、原則は指導者が梟首、幹部が流刑で同じである。だが日本では、実際には幹部の死罪が多く、とりわけ獄死が目立つ。一揆の処罰をみると、日本の一揆の方が、処罰が緩やかだとはとてもいえない。むしろ反対であって、日本の一揆は暴力を抑制しているが、処罰は朝鮮より厳しい。一方、朝鮮の処罰は穏やかであり、日清戦争前には、さらに緩やかになった。朝鮮の民衆支配を野蛮だと評されることもあるが、実は逆なのである。後で述べるように、明治政府の民衆統制は苛酷になってゆく。木戸孝允が朝鮮を野蛮視するのはまったく根拠がない。

版籍奉還の翌七〇年、維新政府は、朝鮮との外交を優位に進めるために、朝鮮の宗主国である清国と「比肩同等」の対等条約を結ぶ予備交渉をまとめた。清国全権李《り》鴻章《こうしょう》は、西欧化推進に着手した洋務派で、外交を一手に握った人物である。日本が欧米と結ぶのを警戒し、条約締結に積極的であった。

日清修好条規

七一(明治四)年、伊達宗城を全権に任じ、日本側は清国が欧米と結んだ不平等条約に準じた原案を示した。予備交渉の対等条約方式を変更したのである。李鴻章は、このように対等から不平等へと動揺を示した日本側原案を受け容れなかった。七月、日清修好条規が締結される。領土保全と相互援助を規定し、欧米から押しつけられた領事裁判権と協定関税を互いに認めあう変則的な対等条約であった。

日本側は相互援助の箇条「必須彼此相助」が、欧米の「懐疑」を呼ぶことを怖れた。李鴻章は、条約は両国友好のためであり、西欧の嫌疑を怖れるのならば、日本は「最初から、全権団を派遣せねばよかった」のだと批判する。伊達全権は、帰国後、最恵国待遇や内地通商権などの特権を獲得できず、相互援助規定が欧米の疑念を呼んだ点が批判される。日本政府は、条約批准を七三年まで延ばしたほどであった。

琉球・台湾をめぐる日清紛争

琉球王国は、一七世紀の島津家による侵略以来、薩摩藩の支配下に置かれる一方、中世以来、清国の冊封も受け、日中「両属」によって独自の「自立」

をまもった。日清修好条規が締結された一八七一(明治四)年の末、台湾に近い宮古島の島民が難破して台湾に漂着、五四人が地元先住民に殺害された。留守政府は事件を利用して台湾への侵略と琉球の日本領有をはかる。七二年、国王尚泰《しょうたい》を「藩王」とし、琉球藩を設置して「琉球処分」を始めたのである。

留守政府は、元アメリカ廈門《アモイ》領事で、台湾占領を助言するル・ジャンドルを外務省顧問に雇い入れ、大国主義外交を唱える外務卿副島種臣《たねおみ》を七三年春に北京に派遣する。岩倉使節団がベルギー、オランダからベルリンに入ったころである。副島は日清修好条規批准後、清国総理衙《が》門《もん》(外務省)で談話を交わし、台湾先住民について清国側の「化《け》外《がい》に置き、はなはだ理することをなさざるなり」という発言を引き出すと会談を打ち切った。副島は、清国は台湾先住民を支配していないから、日本に台湾派兵の「義務」があると政府に建議する。

和漢洋の学識を誇る副島は、出発時「台湾の半島だけならば、舌上にて受け取りそうろう儀は、随分御受け合い申すべし」と交渉で領土を獲得する自信を見せた。清国皇帝に立礼しかしなかったことなど、副島の手強い外交手法が日本でもてはやされたが、朝鮮と清国を併合し、東京を「新帝国の首都」にするなどと、誇大、冒険主義的な大国主義論者だった。

副島の台湾侵略論を、大蔵省の井上馨が批判している。「略地の計」、領土侵略だという。「国威を揚げんとせば、まず内務を調え、内富強の基礎あい立て、しかる後、他に及ぶを順序となす」と、内治優先論から急進論への「順序」を批判した。井上は冒険主義的な副島の外交論を批判したが、井上の批判は、日清修好条規がいうような日・中・朝の連携論ではない。内政を改革してから「他に及ぶ」、それが「国威」を揚げる「順序」だという論は、実はいっそう強固な大国主義外交論でありうる。

副島が出発する直前、留守政府は徴兵令を布告していた。「大役」(戦争)も想定した徴兵令であった。北京の総理衙門で副島が強引な交渉をしているころ、北条県(岡山県北部)血税(徴兵令反対)一揆をはじめ、民衆一揆が起こり、県庁へ突入して官吏を殺傷し、戸長宅を焼き打ちする事件が起こっていた。副島が総理衙門で「化外」発言を強引に引き出して「雀躍、爽快」と喜んだその当日(六月二一日)、筑前竹槍一揆の数万の一揆勢が博多の町に東と南から突入し、鳥取の会見《あいみ》郡徴兵令反対一揆も米子町へ乱入、町民とともに蜂起し、反対一揆は最高潮を迎えていた。

朝鮮外交と政争

副島が渡清した前年、一八七二年、釜山の倭館では、外務省官吏と朝鮮側官吏との対立が激しくなっていた。倭館は朝鮮が建て、滞在費も朝鮮が負担し、長崎の出島以上に厳しい規制が敷かれていたところである。外務省官吏は、その倭館を無許可でとびだして交渉を求め(「倭館欄出《らんしゅつ》」)、ついで対馬藩士を一掃して倭館を占拠した。倭館には、朝鮮市場をうかがう密貿易日本商人(「潜商」)が出入りしていたが、朝鮮側は必要品の供給を止め、密貿易を禁止する。こうして江戸時代に維持された日朝の交隣外交は終わりを告げた。

副島が清国で交渉をしているころ、紹介したように留守政府に変動が起きた。旧土佐藩士の後藤象二郎、旧佐賀藩士の江藤新平と大木喬任らが正院の参議に入り、しかも正院の権限が強化される。それぞれ左院、司法、文部省の長官である。大蔵大輔井上馨らは辞任した。その後、副島外務卿も参議に入り、西郷、板垣、大隈、後藤、江藤、大木、副島という正院参議の新しい構成は、西郷を除けば、土肥政権の政府になった。

副島は、イギリス公使パークスに対して「朝鮮・台湾の二国をもって、兵力を振作する好劇場」で、豊臣秀吉の失敗の「反省」に立って、朝鮮半島北部から「朝鮮へ五万の兵で侵攻すれば、一〇〇日で戦争は終わった」と言う。これに対してパークスは、「朝鮮をあまりにも見くびっている」と記すのである。

朝鮮が倭館に「侮日掲示」をしたとの報告が日本に伝わった。しかし近年、この報告が作為されたものであったことが立証されている。この時、西郷隆盛は、朝鮮への派遣を願い出、自身の死を賭して戦争を起こそうとした。西郷は、「内乱を冀《ねが》ふ心を外に移して、国を興《おこ》すの遠略」を立てた。内乱を願う心は、士族の不満を外へ向けると理解されてきた。しかし後半の「国を興すの遠略」は、国家構想であり、士族の不平対策だけでは、消極的、受動的にすぎる。西郷は、内政改革の中味について発言していないが、知られているように、徴兵制などの留守政府の改革を文句なく肯定していたのである。

徴兵令の施行事情と征韓論争の関連について大局的な動向を見てみよう。「全国大挙の大役」も想定する徴兵令が出されて、当の徴兵該当者である農民は西日本を中心に激しい反対一揆を続々と起こしていた。維新政府はこうした反対に妥協しないのが常だった。農民は入隊すれば、「朝鮮・台湾征伐これある為」(愛媛の一揆)に徴兵されると怖れていた。明治政府はプロシアに範を求めた国民軍をつくるに当たって、まず朝鮮・台湾に、国威をあげる「好劇場」を設けることで、徴兵令を空論でない、現実の計画として示さなければならなかった。プロシアの国民軍にしても、もともと対外戦争の大舞台があってはじめてつくりあげられたものである。徴兵令反対一揆が続発するのは五月下旬から八月一杯にかけて、七月下旬には京都府北部で、八月中旬には長崎県で徴兵令反対の武装屯集事件が起きた。西郷の朝鮮派遣が決まるのは、八月中旬、長崎県松浦郡の武装強訴蜂起の前日(一七日)である。反対勢力には、改革の強行が新政府の手法だった。

征韓論政変

九月までに岩倉使節団メンバーが帰国してきた。使節団の岩倉と大久保、木戸ら薩長グループは、留守政府の即時海外派兵論に対して、前述のように「内治優先」派となったのである。ただし使節団派は、大国主義を捨てたわけではない。むしろ逆であって、西欧文明に到達するには時間が必要だが、可能であり、東アジアの主導権をとる好機なのだという点について、いっそう確信を強くしたのである。だから薩長の使節団派を慎重派とは呼べても、「穏健派」とはとうてい呼べない。

一八七三（明治六）年一〇月の閣議で、西郷の朝鮮派遣が再確認され、使節団派はいったん敗北した。ここから、大久保と岩倉の権謀術数の真骨頂が発揮される。一方、急進派の中心木戸は病にふしていた。

鍵になったのは、宮内省を大久保ら薩派が抑えていたこと、三条が心労で倒れたことである。岩倉は太政大臣事務代理に任じ、右の閣議決定を天皇に報告する際に、決定を無視して自身は反対の旨、断固補足する。翌日、二一歳になったばかりの明治天皇がこれを裁可し、こうして岩倉と大久保は、またも弱齢の天皇を十二分に活用して権力闘争に勝った。西郷や板垣、副島、後藤、江藤ら土肥閥の留守政府派は下野した。これが、征韓論政変あるいは明治六年政変とよばれるものである。

この年、世界恐慌が起き、世界史的な長い「大不況期」（グレート・デプレッションと呼ばれる帝国主義段階への入口）に入る。日本の生糸輸出も、価格が暴落、大きく低下した。政変の背景には、土肥閥と薩摩閥の主導権争いの側面がまちがいなく存在した。土肥閥によって辞職させられた井上馨は、釜山に進出していた三井との結託が知られ、辞職後は、三井物産の前身、先収会社を創立し、社長に就いた。

参議大久保は内務省を新設し、長官を兼任する。大久保独裁と呼ばれる政治がはじまった。内務省は、当時の大不況期に、特権的政商を優遇する民業保護統制をし、ついで官民一体の海外進出策へと進んでゆく。大久保を支えたのが大蔵省の大隈重信と、工部省の伊藤博文である。中央政府に実務官僚群がつくられるのもこの頃である。官僚は、旧薩長土肥と旧幕臣も大きな勢力をなした。とりわけ薩長が中心になった。

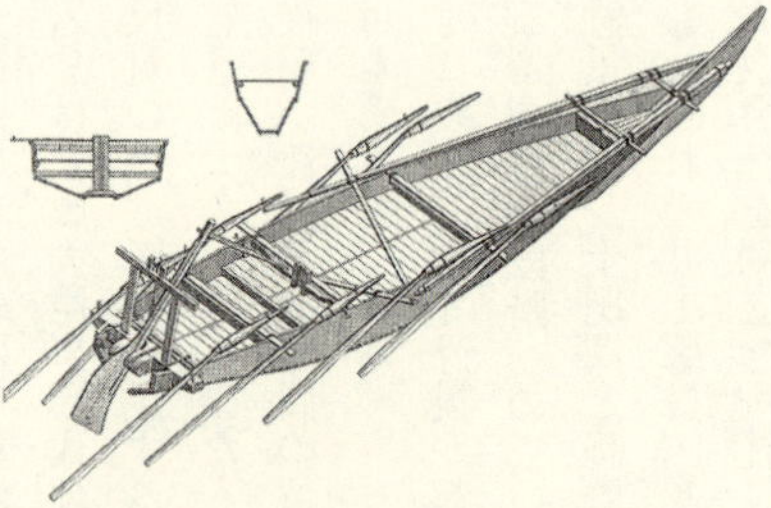

図5-3　在来手工技術の成熟を示す押し送り船．鮮魚を市場へ運ぶ快速船でカッターと漕ぎくらべ，船足がまさった．船形の美しさも賞賛された(『ペリー提督日本遠征記』)．

三〇〇釜を備えたフランス式の官営富岡製糸場が完成するのは政変の前年である。設備のフランス直輸入方式は官の設備費が莫大で成功しなかった。他方、大不況のなかで、民間の中農以下の農民による図5-3に示されるような成熟した在来技術をつかって、安価に工場をつくった松代の西条村製糸場や、諏訪の中山社が開業し発展する。

朝鮮では、この大久保政権が成立したころ、攘夷強硬派であった大院君が、高宗一族によって退陣させられ、対日政策がやや軟化していた。

3　東アジア侵略の第一段階

台湾出兵

一八七四(明治七)年一月、板垣退助、後藤象二郎、副島種臣、江藤新平らとイギリス留学から帰った小室信夫《しのぶ》、古沢滋《しげる》ら八名が、民撰議院設立建白書を提出する。薩長閥政府への批判と天賦人権論にもとづく議会制の要求である。士族と有力豪農商の議会への参加要求であった。自由民権運動への展開については次巻に譲ろう。翌二月、江藤らが不平士族と佐賀の乱を起こし、大久保が冷徹に鎮圧する。そして、征韓論を抑えたばかりの大久保と大隈が台湾出兵を決定するのである。

台湾は、「化外《けがい》の地」という副島の主張を承けて、大久保政権は、軍事行動を起こす。アメリカ人外交顧問ル・ジャンドルも、日本が「アジア小邦中の保護者」の地位を得られると、あおり立てた。大久保らには、英露対立の世界情勢のなかで、東シナ海の要地、台湾へのアジアの小強国日本の出兵は、列強の反発を受けないという楽観にすぎる予測があった。日清修好条規の領土保全、相互援助条項に反する軍事行動であるが、あえて、出兵に踏み切る。しかし、山県、伊藤らは出兵に消極的であり、木戸も参議を辞任した。イギリス公使やアメリカ新公使らも、日本が清国と対立するのは歓迎するのだが、中国・台湾の貿易が妨げられるのをおそれて、出兵には強く反対した。

　やむなく出兵中止を決定した大久保らは、しかし長崎に集結していた出兵指揮官、西郷従道《つぐみち》の強硬論を抑えることができなかった。台湾の牡丹社らの先住民の抵抗は強く、日本軍は村落のいたるところを焼き払った。日本軍の戦死者は、一二名だったが、三〇〇〇名の兵員中、マラリアの病死者五六一名を出す惨憺たる戦況だった。

　七月に、閣議は、清との戦争も辞さない方針を決め、大久保が全権代表となり、北京での交渉にはいる。台湾先住民の地が「無主の地」だという日本側の主張を清国はもとより、欧米も支持しなかった。戦争も辞せずと言う以外、交渉の余地をなくした大久保は、決裂を迎えて、日記に「実に小子、進退ここに谷《きわま》りそうろう一大事、困苦の至り、依て反復熟慮」と記す。

　清国当局は、洋務派による洋式軍制改革が進んでおらず、日本と戦う能力はないと判断していた。そして、日本側も、財政が長期戦に耐えないと認めざるをえなかった。

　大久保の進退はきわまったが、イギリス駐清公使が仲介に乗り出した。イギリスの圧力で、清国が償金五〇万両を払い、日本の台湾出兵を「民を保《まも》る義挙」と承認することでようやく妥結する。大久保は、全面戦争をちらつかせて、清国から償金を引き出した。日記に「北京を発し、自ら心中、快を覚える」と記す。妥協を排した外交をつらぬいたように、一見みえる。しかし交渉妥結は僥倖《ぎょうこう》だった。しかも日清修好条規の領土保全、相互援助条項を踏みにじってしまった。日中連携をつよく警戒していたパークスは、中国側の怒りを理解して「この若造〔日本〕の国は、〔償金を〕もらう資格がない」と記す。しかし、現実的見地から日中対立を歓迎した。機を見て両国を仲介したイギリス駐清公使ウェードは、大久保に対し「日本の威権を支那政府に振いたり」、「日本の日本たる名誉、欧州にも輝いたり」と持ち上げ、朝鮮に着手するときは援助すると挑発する。「大不況期」の入口にあって、イギリスは、欧州、中近東、中央アジア、東アジアでロシアとの対立をかかえており、ロシアが朝鮮半島を制することを警戒していた。イギリスは、いまや、東アジアの小強国日本を自らの世界戦略に組み込み始めたのである。

これで大久保は国内での面目をほどこし、リーダーシップを確かなものにした。イギリス外交部も大久保をもち上げた。しかし日清修好条規に決定的に逆行した。清国代表は、「中国に当然のことを要求していると思われるのか、または、要求できないことを要求していると思われているのか」と、痛烈な皮肉まで発した。大久保は「無益の論」とはねつけた。しかし、パークスが、「若造」には資格がないと言ったように、大久保は強引そのものだった。大久保は、日本交渉団一同の不満を一身をもって抑え、実際の戦費の一〇分の一にもならない償金五〇万両を受け容れたし、その償金さえ、いったん受け取った後、清国に返還したいと個人的には考えていた。だがそれは、大久保の後ろめたさを証明したにすぎない。清国の、隣国日本に対する評価は、最悪になった。

台湾出兵の軍事輸送を依頼する予定であったアメリカが日本の出兵を支持せず、局外中立の立場をとったので、政府は、一三隻の汽船を購入して、三菱商会に委託した。三菱商会は政商として、台湾出兵の直後に、上海航路に進出する。官民一体の侵出である。大倉組商会も、台湾出兵で、陸軍の御用商人として発展し始める。三菱蒸汽船会社(商会から改称)は、官船の無償下付を受け(ただでもらい)、運行には助成金が交付された。大久保の政府が、海運保護政策を決定し、三菱に特権的保護を与えることを決め、朝鮮で江華島事件を起こすのは、その五日後である。

北方領土

宗谷海峡の北にある樺太(サハリン)は、幕末期には、日露和親条約と樺太島仮規則によって、日露両国民の「雑居」の地とされていた。樺太アイヌ、ウィルタ、ニブフら北方先住民族が独自の狩猟、漁労、採集、交易の活動を展開していた大地である。ロシアは、一八六〇(万延元)年の北京条約によって沿海州(プリモルスキー)を得てから、樺太経営に乗り出した。警備兵と多数の囚人を送り込み、少数の日本漁民の出稼ぎを圧倒した。維新政府は、七〇(明治三)年に樺太開拓使を置いたが、成果はあがらず、開拓次官黒田清隆は樺太放棄、北海道開拓専念論を述べていた。イギリス・アメリカ両国公使らも、ロシアの南下を警戒して、北海道開拓への専念を助言していた。明治政府も、七四年に樺太放棄の方針を決めて、榎本武揚全権公使を派遣し、翌年五月にロシアと樺太・千島交換条約を結んだ。樺太島の樺太アイヌ、ウィルタ、ニブフら、また、千島列島の北千島アイヌ、南千島アイヌらの北方少数民族の独自の権利はまったく無視された。この年の冬、樺太アイヌの内、八四一名は、開拓使によって北海道石狩川沿いの内陸部、対雁《ついしかり》(江別市)に強制移住させられて農業民化を強いられ、天然痘などで約四〇〇人が死亡する。

江華島事件

台湾出兵後、大久保が威信を高めたが、征韓論政変で副島、板垣らの土肥閥が、そして台湾出兵に反対して木戸が政府を去ったために、大久保政権は勢力面で弱くなっていた。大久保は、七五年はじめの大阪会議で木戸と板垣を政府に復帰させ、漸進主義による立憲政体の樹立を合意し、政権を固めた。

一方、台湾出兵後、右のようにロシア外交を安定させた明治政府の外務省官吏は、朝鮮に対して強硬姿勢に転じ、汽船(「異様船《イヤンソン》」)で釜山に入港した。外務卿寺島宗則《むねのり》と海軍大輔川村純義《すみよし》が、軍艦による示威作戦を発動したのである。こうして、軍艦雲揚号ほかが釜山に相次いで入港、外務省官吏が送り込まれた。当時、明治政府は、前述のように、海運保護政策を決定して、上海に航路を延ばした三菱蒸汽船会社への援助を強化しており、朝鮮貿易でも、対馬だけに限られていた貿易を開放することを画策していたのである。こうして、九月二〇日、江華島《カンファド》から塩河《ヨムハ》に侵入した日本側軍艦雲揚号が江華島砲台を軍事的に挑発する事件が起きる。

これまでは雲揚号が飲料水を採取しようとして江華島砲台から砲撃を受けて応戦したと、翌月(一〇月)付の同号の公式報告書にもとづいて事件が説明されていた。ところが、最近、これより以前、事件の九日後の九月中に作成された同号の公式報告書が発見された(図5-4)。それによれば、九月二〇日に、雲揚号は「測量および諸事検捜かつ当国官吏へ面会、万事尋問」のために武装端艇で塩河を朝鮮側の陣営のある第三砲台まで遡航し、陣営にはまったく無断でさらに奥(ソウル方面)へ入ろうとして、砲台の前を通り過ぎた時に、砲撃され、交戦になった。翌日、雲揚号は艦砲で攻撃、陸戦隊を送り、頂山島《チョンサンド》の第二砲台を焼き払う。さらに翌々日には、永宗鎮《ヨンジョンジム》の第一砲台の城に放火、三五名を殺戮した。一方、雲揚号の死傷者は二名であった。

また、一〇月付報告書は、交戦を一日のことのように記しており、以前から疑問を持たれてきたが、交戦は実は三日間にわたっていた。一〇月付報告書が「飲み水を求めようとして砲撃された」と書き直していたのである。この雲揚号の軍船の無断河川遡航は国際法違反である。まして武装端艇は、ソウルへ入る河をさらに遡航していた。これは砲撃を挑発したことになる。

この時の日本軍の行動は、ペリー来航に習ったものと説明されてきた。ペリーは、前に説明したように、江戸湾内へ強行侵入をしたが、初日に平和目的の使節だと明言していた。それでも幕府は、侵入したペリーに「不法の致し方」だと抗議をくり返した。ペリーの内海侵入は国際法違反だが、これに対して雲揚号の武装端艇の初日の突然の行動は、ペリーの行動と比較にならない、無法な作戦行動以外のなにものでもない。つづく砲撃戦での陸戦隊を上陸させた城や民家の破壊作戦、朝鮮軍撃滅も、もちろん国際法違反である。

事件には外務省も関与していたのである。ねらいは明確であった。欧米が後発国(半未開国)に結んだ不平等条約を朝鮮と結び、朝鮮を開国させることである。隣国朝鮮とは、江戸時代、対等外交をつづけていたのだが、その朝鮮を日本の後発国に引き下げようとしていた。

江華島事件後、森有礼《ありのり》が清国駐在公使として派遣され、李鴻章と交渉にはいる。交渉のはじめ、李は、日清修好条規の相互援助条項をあげ、日本に自重を求めた。森は、「修好条規などは、何の役にも立ちません」と退ける。李は、日本の朝鮮に対する敵対行動は、中国も条約違反として対処せざるをえない、それは欧米の「笑話」にされるだけだと言葉を尽くす。森は、ただ肯定し、開き直るだけだった。また、李は、「貴国は台湾事件の例に倣《なら》い……隣邦を攪乱

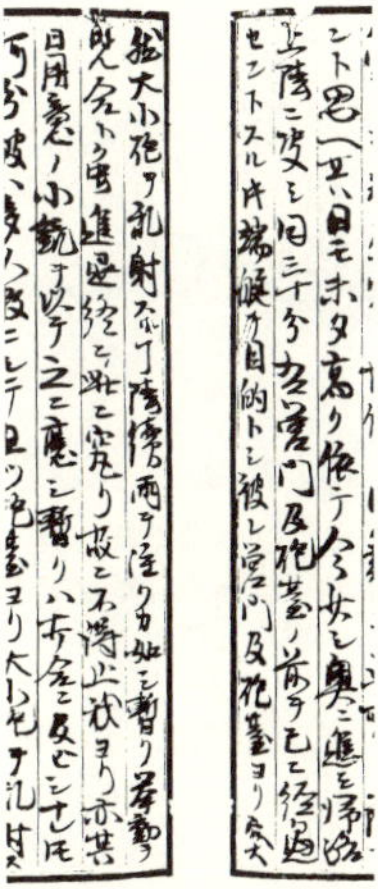

図 **5-4**　江華島事件の新史料．9月29日雲揚号報告書．真相を記した箇所の一つ．写真の第1行6字目から「日も未だ高く，依て今少し奥に進み……」(砲撃された)．10月9日の報告書では，「この辺に上陸，良水を請求せんとし……」に書き直している(防衛研究所図書館蔵)．

図5-5　全権大使黒田清隆，副使井上馨を乗せて江華島沖に停泊中の軍艦高雄（『写真で見る独立運動（上）』ソウル，1987年）．

し、機に乗じて之を奪領せんと欲するものの如し」と日本が隣国を侵略（「奪領」）しようとしていることをとがめた。清国は、ビルマ方面で、イギリスとの関係が断交状態になっていた。そのために、李鴻章は、日本との交渉を妥結するよう朝鮮に助言した。

この時、木戸孝允が、朝鮮への派遣を切望したが、病に倒れ、薩摩閥の黒田清隆が全権大使に、井上馨が副使に任命された。当時は、大不況がつづいており、国家財政は「身代限りに至らんとする」（『東京日日新聞』）ほどと評され、戦費が欠乏していた。政府が黒田に与えた訓令は、「和約を結ぶことを主とし」と明記しており、慎重な対応を求めた。しかし朝鮮が応じない場合は、「臨機の処分に出ること、使臣の委任」と決裂の全権も与えていた。黒田は、期限を切って朝鮮に迫り、朝鮮は、戦備の不足と清国李鴻章の助言によって条約に応じた（図5－5）。

この時、下関では、陸軍卿山県有朋が日朝開戦に備えていた。山県の下関への出発は、黒田出国のすぐ後で、広島と熊本両鎮台兵の派遣と輸送船舶の準備が調っていた。

日朝修好条規

一八七六年二月に日朝修好条規が締結される。江華条約、丙子条約《ピョンジャジョヤク》ともいう。朝鮮を自主国で「平等の権」をもつと規定し、清の宗主権を否認した。しかし内容は、徹底的な不平等条約であり、釜山の他二港の開港、日本人の「往来通商」を認め、「日本の航海者」に海岸随時自由測量を、さらに日本の領事裁判権を認める。附属条約と通商章程によって日本貨幣の流通、日本の輸出入商品への無関税も決められた。日本が西欧と結んだ通商条約より、自由(軍艦にも)測量権や貨幣流通権はいっそう厳しい。さすがに七年後に改められたが、無関税を強いた点も不平等性が甚だしい。日本は朝鮮に対して欧米と立場を同じくし、東アジアの小西欧として臨んだのである。一方、朝鮮が片務的最恵国待遇を認めなかったのは、朝鮮にとって、最悪の事態を防ぐことになった。七年後、貿易の規則が調印されるまで、無関税によって朝鮮に対する日本の経済的侵略が圧倒的にすすんだ。日本商人は、イギリス綿布を中継輸出し、朝鮮から主に米穀を輸入し、清国の朝鮮貿易総量を凌ぐのである。

当時、イギリスと清国は、雲南省で通訳官マーガリーが殺害された事件のために断交状態であった。イギリスには、江華島事件に乗じて、日本と連合して清国に迫る計画すらあった。イギリスは、樺太は重要視しなかったが、中国に隣接する朝鮮を、ロシアに対する戦略の上で重要視し、軍制近代化に着手した日本の動向にも注目していた。日本は、朝鮮に不平等条約を強制する外交を進める限り、西欧列国との利害は一致すると確信していた。三菱蒸汽船会社は、この年、上海航路に加えて、官と一体になって朝鮮航路と北清航路を開設する。

4　地租改正と西南戦争

地租改正

廃藩置県とともに、地方支配機構が急激に解体される。新政府は、土地価格に応じた地券をあらゆる土地に発行して「均一の法則」によって税を取りたてるシンプルな制度の実施をめざした。一八七一(明治四)年、大久保大蔵卿らが地租改正の元になる案を建議した。翌年、留守政府によって土地売買が自由にされ、私的土地所有が認められ、地券が発行される。

江戸時代にも、土地売買は認められ、土地価格も成立していた。ただし、土地所有は、村共同体に帰属するところが多かった。近代日本のように厳格に排他的な近代的土地私有権はできあがっていなかったのである。前に紹介した「質流れ地無年季取り戻し権」も、その一例である。質流れしても、検地帳の元の持ち主の権利は、強固だった。割り地という、村落で籤《くじ》によって土地を定期的に交換する慣行も、全国の一割ぐらいで行われていたと推測されている。年貢の未納も、江戸時代には、手放した田畑は、村で代わって耕作し(惣作)、種肥代は領主負担とし、いずれ元の所有者に戻すことが定法であった。

また、江戸時代、田畑と入り会いの山野海浜はセットで、草や灌木、海草が重要な肥料であった。田畑の一〇倍から一二倍の無高(無年貢)の林野が入会地として開放されていたといわれている。焼畑も、五〇万町歩と推測される(宮本常一「畑作技術試論」)ように、想像できないほど山奥、深山幽谷まで展開していた。ここで重要なことは、こういう土地所有や用益の共同性を備えた仕組みによって、江戸後期の農業は、成熟し、近代化しつつあったことである。ところが、農業における共同性に無理解で、ひたすら全国「均一の法則」を主張する大蔵省官僚は、これらの定着した村の慣行を固陋として切り捨てる。共同の所有や用益は、人を怠惰にするという理屈であった。近代農業史研究者の丹羽邦男は、官による村落の共同性切り捨ては、日本農業を停滞させ、その近代化を大きく阻害したと指摘している。しかし、土地を大規模に集積した大豪農商は、一揆などによって、質地取り戻しや土地無償取り戻し要求を突きつけられていた。そのため百姓一揆に攻撃されるほどの大豪農商、大地主、つまり戸長クラスの多くは、地券発行という排他的私的土地所有権を歓迎したのである。

留守政府は、翌七三年夏に、地租改正条例を出した。土地を調査し、土地価格の一〇〇分の三の定率地租を課すのである。土地の価格計算では、肥料代などの必要経費は低く計算され、人件費分はなく、利子率で換算する際も実勢より低く計算された。政府は、貢租を従来と同じ水準に維持することを優先したのである。

関税収入は、安政条約では二〇パーセントであったが、改税約書で五パーセントになったために、額が限られていた。そのためいっそう地租依存の体制になり、ひいては農民の税負担が過重になった。この頃の関税収入は約五五五万円であり、これがもし二〇パーセントの関税であれば、額は当時の各官省通常経費全体に相当する。

地租改正事業は、一八七五(明治八)年、内務省が、特権的政商中心でもある民間企業保護政策を施行するころ、地租改正事務局を設置してから本格化し、政府が府県の地租予定額を設定し、それを順次、一筆の田畑まで降ろす「押しつけ地価」で決められてゆく。

耕地・宅地は三二六万町歩から四八四万町歩に増え、地租額は推定約五三三六万円から四九四六万円になった。五パーセントほどの減額であるが、当時、物価が低下しており、地方税が増えているので、実質は以前と同じ地税であった。ただし地租改正以前とちがって税の未納はただちに個人的な破産宣告につながる。事実、この後の松方デフレで多くの農民が破産する一方で、少数の大地主が土地を集積した。また、田畑とセットになった村入り会いの無税だった山野に地券が発行され、多くが国有、皇室の所有になった。地租改正反対一揆については、後に紹介しよう。

秩禄処分

地租改正事業がすすんだ一八七六(明治九)年、華士族の秩禄処分が断行された。金禄公債証書発行条例を公布して、華士族三一万人に対して金禄の五年から一四年分の金禄公債証書をあたえて、以後の家禄支給を打ち切った。

金禄の支給は、利子分、一時に支給される年数、ともに上層に厳しく、下層に緩やかではあった。しかし、公債は、中士や上士への公債支給額にしても、利子分で、ようやく下層民の生活が成り立つ程度の額である。ただし、五一九人、〇・二パーセントの人員の旧藩主クラスには、一人平均六万円という破格の支給額であった。この平均額が、当時の高額所得者、二〇位以内の額である。他方で、華士族の八三パーセントを占める下士層、二六万人への支給額は、利子換算すると、下層民の家族所得額にもはるかに及ばなかった。このように上下を問わず、ほとんどの士族は、事実上、わずかの一時金で切り棄てられ、下層民になったのである。

金禄公債は、一億七四〇〇万円にのぼり、当時の財政の三倍近くであった。これを資金として運用するために、同年に、国立銀行の設立条件が緩められた。士族の金禄公債を資本の一部として、銀行設立が急増し、七九年にその最後となった京都第百五十三国立銀行が発足する。これらは「士族銀行」とも呼ばれたが、実態は、士族公債の一二パーセントが国立銀行資本に回されただけで、商業資本が経営の中心になった。また、特殊な銀行として、第十五国立銀行が華族(旧藩主と上級公家)だけの銀行として設立され、政府から格別の保護を受け、破格(年率一〇から一二パーセント)の株式配当を受けた。

七三年の世界恐慌以後も、長い不況下に、製糸業や綿織物業をはじめとする地方産業の発展が始まっていた。設立されたばかりの国立銀行が資本を提供していたのである。幕末の開国以来、イギリス綿布が輸入されて、在来綿工業は打撃をうけたが、輸入の洋糸を使う綿織物工業が先進機業地でさかんになり、綿工業が勃興した。日本独自の簡単な紡績装置ガラ紡（臥《が》雲《うん》紡績機、七三年発明）は、手紡の一〇倍の能率をあげたし、ジョン・ケイの飛《と》び杼《ひ》（横糸を通す舟形シャットル）を日本で安価に模造した「バッタン」（七四年、初使用）は、織物業の生産性を一・五から二倍に高めた。七〇年頃からイギリス綿布は急速に駆逐され始め、輸入綿布の国内需要に占める割合は、七四年に四〇パーセントになる。これは次巻以降で描かれる時代だが、八〇年には二三パーセントになる。

その後、九〇年代からは、綿糸も、国内の機械紡績工場製のものに転換し、資本制生産が勃興する。日本の綿工業を保護する輸入関税は、尊攘激派の暴挙に由来する改税約書によってわずか五パーセントであった。こうして政府の保護も、関税障壁もほとんどないという劣悪な条件にもかかわらず、民間が自力で国内市場を回復し、大きく発展したのである。

西南戦争と一揆

一八七六年はじめの日朝修好条規の交渉の項で紹介したように、下関では、山県陸軍卿が、広島、熊本両鎮台兵をもって朝鮮との戦争に備えた。両鎮台兵の主力は、農民出身の徴兵であった。兵事の主役は徴兵に変わる。その直後の廃刀令（帯刀禁止令）は、士族の帯刀を禁止、「違犯の者は、刀、取り上げ」と命じた。士族の武装解除である。

その半年後、秩禄処分で、前述のように、無償に近い士族解体が断行される。こうして、急激に追いつめられた士族の反乱がつづく。一〇月に、熊本で約一九〇名の士族が蜂起した神風連の乱がおき、わずか二日で鎮台兵に鎮圧された。これに呼応した秋月の乱が、福岡県で起き、直後に山口で、元参議前原一誠らの萩の乱も起きた。いずれも小規模の孤立した蜂起であった。この冬には、地租改正の大一揆が起こるが、これは、後で述べよう。

西郷隆盛につづいて、鹿児島県の軍人、文官らも辞職、帰郷するもの数百名におよび、私学校という組織をつくった。桐野利秋《としあき》らが幹部となった。旧薩摩藩士の鹿児島県令大山綱良《つなよし》は、西郷らを支援し、私学校党が、鹿児島の地方行政をにぎった。

翌七七年、大久保政権は鹿児島陸軍弾薬庫から弾薬を搬送させ、警視らを密偵として送り込み、私学校党を挑発した。二月、一万三〇〇〇人の鹿児島士族と熊本などの保守派や民権派士族ら七〇〇〇人、徴募兵一万人が参加して北上する。計三万名の兵力であった。しかし、反乱軍は携帯した小銃もさまざまだった。迎え撃つ熊本鎮台司令長官谷干城《たにかんじょう》は、熊本城に籠城した。兵力は四三〇〇名、その三分の二は徴兵の鎮台兵であった。大久保が大阪に陣取り、参軍陸軍中将山県有朋と同海軍中将川村純義は、四万五〇〇〇名で熊本へ南下した。

西郷軍の攻撃は強力で、白兵戦による政府軍の犠牲は多かった。しかし、三月、田原坂《たばるざか》の戦いの敗戦以降、西郷軍は退却に移った。西郷軍は、峠や山地の地形を利して白兵戦でこそ頑強に抗戦しえたのであり、攻勢に転ずる展望があったとするのは過大評価であろう。大久保利通は、薩軍蜂起を聞いて「朝廷の不幸の幸いと、密かに心中には笑いを生じそうろうくらい」と言いきっている。

反乱軍の命運を握るのは、地域の動向である。西南戦争の前年、熊本県城北地域で、「民権党」の指導によって、戸長公選要求や地租改正費負担反対の在地の一揆的な運動も見られた。「民権党」の中には、西郷軍に参加するものもあった。ついで西南戦争の約一カ月前、熊本県西部阿蘇郡で、大規模な打ちこわしが起きていた。要求は、地租改正経費取り戻しや質地返還、両軍の軍夫徴発反対などであった。竹槍、刀、鉈《なた》、鎌、斧などを手にし、戸長宅を打ちこわし、帳簿類を焼き捨てた。「役のつくものは、たとえ膏薬《こうやく》でも打ち壊せ」と言い合ったという。西南戦争後の処罰者は、熊本県で三万人以上、大分県で二万人以上にのぼった。

西南戦争と徴兵制軍隊建軍

西南戦争では「民権党」からの参加が、一部には見られた。しかし、蜂起した民衆は、西郷軍を支持しなかった。兵器と物量に劣る反乱軍は、地域民衆の広い支持がなければ、弱いものでしかない。

西郷軍の戦費七〇万円、これに対する政府軍の戦費は四一五六万円余であった。西南戦争は、政府軍にとってこそ大きな意味があった。西郷が下野した際、行動をともにしなかった薩摩藩の軍人は、半数を越える。その中には、征討軍の参軍となった黒田清隆中将や海軍大輔川村純義中将らもおり、籠城して激戦を戦った熊本鎮台軍には、樺山資紀《かばやますけのり》熊本鎮台参謀長がおり、参謀児玉源太郎は長州閥だが、やはり薩摩の川上操六《そうろく》が歩兵第一三連隊長になる。籠城の熊本鎮台兵四三〇〇名の中心は農民出身の徴兵であった。この籠城戦を戦った政府軍指揮官たちは、徴兵を指揮する実戦経験を積んだ。

その後、日清戦争では、川上は大本営参謀次長兼兵站《へいたん》総監（参謀総長は宮家の飾り）、児玉が大本営陸軍参謀、樺山も海軍軍令部長、彼ら西南戦争の最前線に立った軍人が、日清戦争の軍事面の発案者、実質的な指揮官になる。そして、経済界では、西南戦争で、三菱蒸汽船会社は海運輸送、大倉組商会は兵站輸送で軍御用商人として巨利をあげる。明治政府にとって、西南戦争こそは、徴兵制軍隊建軍のために必要な、大久保が言う「幸運な」一段階であった。

地租改正反対一揆

熊本と大分の一揆は、地租改正経費負担などに反対する一揆であった。西南戦争の直前、七六年には、二つの大きな地租改正反対一揆が起こっている。茨城県地租改正反対一揆と三重、愛知、岐阜県にまたがる地租改正反対打ちこわし（伊勢暴動）である。後者は、同種一揆の最大のものとなった。

この頃、米価が急落し、金納地租は減額するはずだが、政府は、貢租納入の米価を高く設定したままで、農民の嘆願を認めなかった。一二月、三重県南部の櫛田川下流の荒木野へ数千人が集合して一揆になった。一揆勢は、松坂町を打ちこわし、三井銀行や商家に放火した。津の県庁へ向かうが、士族隊が阻止する。北上する一揆は、四日市、桑名へ入り、官と名のつくいっさいの施設、支庁や学校、裁判所、病院、戸長宅などのすべてに放火し、公用帳簿を焼き捨てた。懲役場を打ちこわし、囚人の一部は一揆と行動をともにする。一揆勢が愛知県、岐阜県

図 **5-6** 三重・愛知・岐阜地租改正反対一揆展開略図．最初の集合地は松阪市南東，櫛田川の早馬瀬(矢印)(茂木陽一「新政反対一揆と地租改正反対一揆」より転載)．

に入って後、鎮台兵や巡査隊に鎮圧されるのは、一二月下旬、西郷蜂起の一カ月前であった（図5－6）。

異例の早さで処刑は行われ、絞首刑一人、処罰は五万名余にのぼった。三重県の全戸数の、実に三分の一以上である。衝撃をうけた政府は、一〇〇分の三の地租を、一〇〇分の二・五に下げた。また、七八年の三新法制定も、こうした民衆運動によるところが大きい。三新法によって、地方税を議定する機関として府県会が設置され、近世以来の町村を単位にして、住民公選の戸長が置かれた。大区小区制の官任命の戸長を多少手直ししたのである。西南戦争のインフレーション、地価の引き下げ、三新法、これらは、農村に好況を呼び込み、やがて自由民権運動をまきおこす。

沖縄と琉球処分

一八七四年、台湾出兵後の清国との外交交渉で、日本側は琉球人を「日本国属民」とし、出兵を「民を保る義挙」と承認させたのだった。明治政府は、この合意を、琉球を日本領土と確定したものと強引に解釈する。七五年七月、江華島事件を起こす二カ月前、政府は、琉球に対して清国への朝貢の廃止、明治年号の使用、藩政改革、鎮台分営の設置などを命令、琉球を清国から最終的に切り離し、日本化する「琉球処分」に本格的に着手した。

琉球王府は、密使を清国へ派遣し、国内では、頑固党という琉球士族の抵抗がつづいた。

七八(明治一一)年、日本に派遣された清国の初代駐日公使、何如璋《かじょしょう》は、日本の挙動は「無頼の横《よこしま》、瘦狗《そうく》(やせ犬)の狂なるものあり」と公式に日本政府に抗議する。この年、明治政府は、警官と鎮台兵を送り込み、強権的に廃藩置県を実施し、旧琉球王国を沖縄県にした。尚泰《しょうたい》は華族として、東京に居住を命じられ、かわりに四〇万石の大名に相当する経済的保証をあたえられた。八重山では、八重山在番は、日本処分官の誓約を拒みきれなかったため、沖縄へ帰る途中、海上で投身して自殺し、宮古島では、日本警察の通訳の琉球人が、島人の制裁によって殺されるサンシイ事件が起こる。

八〇年、日本と清国は、改約案に合意した。宮古・八重山諸島を中国領土とし、かわりに日本商人が中国内部で、欧米なみの通商ができるという分島・改約案である。中国は、当時、内陸イリで、ロシアと国境紛争を起こしており、日本側の要求を拒否できなかった。この改約案は、琉球島民脱清人(清国への亡命人)の日本帰属反対運動と、清国のロシアとの紛争鎮火によってそのままになった。明治政府は、中国への経済的な海外侵出を、沖縄の地勢的、民族的一体性より優先させ、宮古・八重山諸島を取り引き材料にしたのである。

アイヌ民族と北海道

幕末の開国の後、幕府や商人らによる圧迫は強化されたのだが、「アイヌのことはアイヌ次第」という幕府も認めた原則が維持され、アイヌモシリ(人間の静かな大地)で暮らすアイヌの自主性は守られた。アイヌの有力者を中心とする、生活のための漁業である「自分稼ぎ」や「イケシュイ」(場所支配からの組織的な逃散抵抗運動)がつづいていた。

そして一八六九年、新政府は版籍奉還の直後に開拓使を設置し、蝦夷地を北海道と改称する。七一年、明治政府が急進的な文明化政策を行っている頃、アイヌ民族の固有の文化が、「未開」とか「無知蒙昧」とされ否定されてゆく。死亡した際、チセ(寒地対応の住居)を焼く習慣の禁止、女性の入れ墨と男性の耳環の禁止、日本語の強制などである。

重大だったのは、七二年、琉球王国が琉球藩とされた同じ月、北海道で、地所規則と北海道土地売貸規則が布告されたことである。山林、川、沢、海浜など、アイヌ民族が漁猟や狩猟、伐木、採集に利用してきた土地であっても取りあげられ、和人に払い下げられた。「深山、幽谷、人跡隔絶の地」は例外とされたが、それもつぎつぎに狭められた。アイヌ民族の土地所有は、稀にしか認められなかった。国有林野地や皇室御料地の設定が巨大な規模だったことも、注目しておくべきことである。アイヌ民族は、民族の自主性を固持してきた、アイヌモシリと呼んだ大地と天然資源を奪われたのである。

七三年、河川でアイヌが行ってきた独自の漁業であるウライ漁、テス網漁、夜間漁が禁止され、七六年、山野海浜で、北東アジアの少数民族のなかでも、アイヌ民族がとくに高度に発達させた毒矢猟が禁止された。禁止は、はじめゆるやかだったが、和人の移入が増加し、官のアイヌ農業民化政策が開始されると徹底され、アイヌを餓死の淵に立たせた。そして八六(明治一九)年、北海道庁が設置されると、北海道「開拓」は、本州の大資本、華族資本や大地主中心の開拓策にかわる。八六年までの移入者は、八万二〇〇〇人であったが、この頃から急激な開拓、「乱開発」が始まる。一九〇一年には、人口一六一万人、耕地五三万八〇〇〇町歩、北海道の主要な耕地が、北海道庁設置後、わずか十数年で開拓された。

今も急進的開拓の世界的「成功例」と評価されるが、薩摩閥の有島武郎《たけお》父子のように現地を実見することもなく、付与地を願い出るような「乱開発」で、大資本は大規模寄生地主になり、小作争議が頻発することになる。小作・貧農の移住が多くなったのであり、本州などから入った小作・貧農は、後志《しりべし》原野の『カインの末裔』の困苦に耐えた。北海道は、「内国植民地」となったといわれる。しかし、アイヌ民族は、こうして大地を奪われたのである。「内国植民地」は、和人の評価であって、実際は、侵入した和人の「植民地」そのものであった。異民族を「未開」として抑圧し否定する政策、政府と大資本による外地の資源の略奪的収奪、侵出にあたっての民衆の国家的動員など、北海道「開拓」は、東アジア侵略の第一段階となった。

おわりに

最後に、本文では、鉄道開通などに簡単に触れるにとどめた文明開化について、補足をしておこう。文明開化は、次の巻の自由民権の時代にもいっそう盛大に進展し、民衆を近代社会の入口へと導いた。近代社会には必要な、「勤勉」や「規律」、「衛生」などに民衆をなじませてゆく社会現象が文明開化だった。たとえば、柱時計の普及は、江戸社会には欠けていた「時間の観念」が一般化したことを、あざやかに象徴すると指摘される。

文明開化とは

当時の女性旅行家イザベラ・バードは、東北地方を旅行して、文明開化前の民衆について次のように言う。行く先々で、「黙って口だけ大きく開け、何時間もじっと動かずにいる群集に囲まれた」と。もともと「日本では、時は金ではなく、二束三文の値打ちもない」(W・E・グリフィス)。文明開化前は、時間はたっぷりあった。開化前の民衆は、いまに自足し、日々を愉快に過ごせればよしとし、公的世界から離れた気楽さに浸っていた、とも評価される。「今への自足」と「日々の愉快」、「気楽さ」である。

しかし、バードなど外国人の記録を読めば分かるように、彼らが感嘆したのは、愉快で、気楽な、屈託のない、開化以前の、自足する民衆の側面だけだったわけではない。それは、幕末・維新期日本の民衆社会の一面だけである。文明化の一項目である衛生についていえば、バードが、東北の宿の清潔さについて、おおいに賞賛しているのはどういうことであろうか。文明化の中心である、勤勉や規律という具体的な問題についても、たびたび紹介したペリー江戸湾来航の時の日本側の番船団を例にとって説明を補足しよう。

江戸の成熟、勤勉と規律

ペリーたちが、日本の快速手こぎ船、「押し送り船」を高く評価したことは本文でも紹介した。鮮魚を魚河岸へ運ぶ快速船、押し送り船は、ペリー艦隊の水兵が漕ぐカッターと漕ぎくらべて勝ちを占めた。その船形の美しさは、艦隊の誰もが賛嘆した。「滑るように水面を進む」とまで記された。では、ペリー艦隊と競ったとき、日本側の漕ぎ手は、誰だったのか。

投錨したペリー艦隊を何重にも取り囲み、また、江戸湾入口でペリーの測量船と対峙した数十艘の番船群は、「御用番船役」を役負担としてつとめる、浦賀の漁村、西浦賀と東浦賀の漁船団であった。そのまた中心が押し送り船であった。こういう百姓や漁民らの役負担（無償の労力徴発）に依拠するのが江戸の支配体制であった。

渡辺京二は、横浜の艀《はしけ》「サンパン」について、「ヘイ、ヘイチャ、ヘイヘイ、チャヤ」というかけ声で、二マイルを休まずに漕ぎきる日本の船頭たちの技量に、外国人（モース）が瞠目《どうもく》したことを紹介している。二マイルといえば、約三キロ半である。一方、文明開化によって肉体労働が蔑視されるようになる前、このように屈強な船頭や馬方たちが、どれほど陽気で、穏やかで、礼節と誇りに満ちていたか、外国人旅行者の証言がたくさんある。単身の女性旅行者だったバードは、彼女の馬方のマナーの良さと律義なことには感嘆するばかりだった。とすれば、アメリカ水兵たちに漕ぎくらべで勝った日本の押し送り船の漁民たちにも、いったい「規律のある勤勉」さが、なかったなどといえるのだろうか。

浦賀の二つの漁村、西浦賀と東浦賀が、奉行所の御用番船役を負担した歴史の一端を、平川新が解明している。

二つの漁村のそれぞれの代表、名主と漁船頭が、御用番船役の負担方法をめぐって、一九世紀はじめから浦賀奉行所において争論をくり返していた。時には、一方が、半々の分担を、一方が、船数に応じた分担を主張したりして争っていた。ついで、ペリー来航以前ではあるが、外国船への警備で彼らの負担が増えると、対立していた二つの漁村は、一転、連合して、負担地域を拡げることを浦賀奉行所へ運動し、要するに負担軽減運動で成果をあげた。そして、ペリー来航後は、動員回数の増大に直面した二つの漁村は、また連合して、役負担を三浦郡全体にいっきに拡げることを主張し、この主張自体は通らなかったが、かわりに船々を雇いあげ制にさせることに成功した。つまり、奉行所に雇い賃を支払わせるという大きな成果を獲得していた。

このように、漁民たちには、漁業集団としての利害のために、柔軟に状況にあわせて運動する組織と統制があった。活発に、抜かりなく自己を主張しており、「自足する気楽さ」など、実は、無縁だった。こういう江戸湾の漁船団が、漁船頭に統率されて、見事な船形をもつ快速の「押し送り船」を中心として、ペリー艦隊を包囲し、測量船と向き合った、という、開国史の一側面があるのである。番船団に統率のあることもペリー側は注目していた。賛嘆を惜しまなかったペリー側は、本文で紹介したように、「押し送り船」の詳しい図面(二一二頁)を『ペリー提督日本遠征記』に収録した。

社会が必要とする勤勉や、規律や衛生は、実は、江戸民衆社会に、欧米のそれとは、形態が違っていたかもしれないが、成熟をとげた形で存在したのである。だとすれば、明治初期の文明開化とは、何ものだったのだろうか。学校や徴兵令や、役所や懲役場、はては病院までも、明治初期の打ちこわしで、「焼き打ち」の攻撃対象になったことの意味が、ここにある。とりわけ激しい反発をよんだのは血税と的確に批判された徴兵であった。兵役といわれても、実際に当時の日本に欧米の侵略の危機があっただろうか。指摘したように、一年半も、政府の要人がこぞって米欧を回覧する当時、国際的な戦争が迫る危機は、情勢としてまったくなかったのである。しかも、発令された大区小区制は、上意下達の一点張りで、名主や庄屋という村や町の代表制を否定していた。租税の非情なまでの増徴など、その他の大状況については本文で述べたとおりである。むりやりの欧化、そして万国対峙という大国主義、これが、討幕派という少数派が、新政府の要人になるときから、政治の基本として身につけていたものだった。

幕長戦争の一八六六年から伊勢暴動の一八七六年まで、一一年間、本文で述べたように世直し一揆と打ちこわし一揆が、江戸時代には自制されていた「焼き打ち」や「公用帳簿焼き捨て」、やがて県庁焼き打ちへと激化してつづいた。徴兵令反対をはじめとする、こういう激化した民衆運動を抑え込むことこそ、明治政府による文明開化の中心線の一つだった。そして、それは相当、長期に及んだ、幾多の流血をみた戦いであった。それを、無知蒙昧の百姓を、文明化した国民へと教化したという聞えのよい物語に変形したのも、文明開化のなしたことの一つなのである。

天皇制近代国家の国家創世「神話」

最後に、文明開化が、俗信や迷信を「無稽の謬説」などとして否定し、合理精神を育てたといわれている点について、一言述べたい。それでは、明治政府は、合理主義を貫けただろうか。

日本開国期に、日本中が攘夷で沸きたち、そうした世論の中心に天皇・朝廷の攘夷論があったという維新当初から強調された、日本開国の物語こそが、事実と違うという点を、本文をくり返さないが、あらためて想起しておきたい。

孝明天皇は、中国では賢才を選んで王にするが、日本は、「神武天皇以来、皇統綿々」であり、それゆえ、中国より優れた「神州」だと言い、条約は「神州の瑕瑾」で「許すまじき事」だと攘夷を主張したのであった。「神武帝より皇統連綿」という神話に基づく大国主義思想に、天皇の攘夷論が生まれる一つの道筋があった。そうして、山内豊信らの一橋派大名たちから、天皇・朝廷の攘夷論は、無謀な冒険主義だと、痛烈な批判を受けていた。

幕末日本の大方が攘夷で沸きたっており、その中心に天皇・朝廷がいたという神国思想や大国主義で色揚げされた物語こそ、本文で述べたように、「無稽の謬説」の一つであった。その物語は、近代日本がつくり出した、あたらしい天皇制近代国家の国家創世「神話」にほかならなかった。

あとがき

この通史を書くにあたっては、さまざまな方のお世話になった。たとえば、中国哲学の専門家たちには、本書第1章の、勘定奉行が点検した大部の「海国図志」の「アメリカ商人がアヘンを中国へ運ぶ」記事を探していただき、さっそく本文に生かすことができた。その記事は、本文でも少し紹介したように、目次などで簡単に見つけられるところに記されていたわけではない。専門家が「総めくり」という作業で、ようやく発見できたのであった。数人で作業が始められて、見つかったとの連絡をいただいたのは、約一時間半後であった。専門家たちは、勘定奉行の根気のいる作業を追体験されたのであった。「餅は餅屋」であって、私にはできない作業であった。職場の中国文化論研究室の若手研究者たちに感謝したい。記事が分かってみると、イギリス人の著書の抜粋を中国で漢訳し、幕府が注目する、という一連の事実が見えてきて、歴史の深層に触れる思いがした。こうした、実証的な作業が積み重ねられ、全体の流れに生かされる部分が、この通史でも多いのである。論文以外にも、講義や市民講座などでお話しした際にも、いろいろ気づかされたところが多かった。みなさんに感謝を申し上げたい。

本書の校正刷りを日本近代史の授業経験豊かな、札幌在住の一瀬啓恵さんに読んでもらい、さまざまの教示をいただいた。また、今は、書店の別の部門に移られたが、『日本近代思想大系1　開国』の「万国公法」の校注を作成するという、きわめて地味な作業でお世話になった井上一夫氏にも、本書を執筆する途中でも、折に触れて励ましをいただいた。そして、最後に、予定を遅れてようやく本書を脱稿した私に、いつも激励と冷静な編集者の手腕とを発揮していただいた平田賢一さんに感謝したい。

二〇〇六年一〇月

井上勝生

岩波新書新赤版一〇〇〇点に際して

ひとつの時代が終わったと言われて久しい。だが、その先にいかなる時代を展望するのか、私たちはその輪郭すら描きえていない。二〇世紀から持ち越した課題の多くは、未だ解決の緒を見つけることのできないままであり、二一世紀が新たに招きよせた問題も少なくない。グローバル資本主義の浸透、憎悪の連鎖、暴力の応酬――世界は混沌として深い不安の只中にある。

現代社会においては変化が常態となり、速さと新しさに絶対的な価値が与えられた。消費社会の深化と情報技術の革命は、種々の境界を無くし、人々の生活やコミュニケーションの様式を根底から変容させてきた。ライフスタイルは多様化し、一面では個人の生き方をそれぞれが選びとる時代が始まっている。同時に、新たな格差が生まれ、様々な次元での亀裂や分断が深まっている。社会や歴史に対する意識が揺らぎ、普遍的な理念に対する根本的な懐疑や、現実を変えることへの無力感がひそかに根を張りつつある。そして生きることに誰もが困難を覚える時代が到来している。

しかし、日常生活のそれぞれの場で、自由と民主主義を獲得し実践することを通じて、私たち自身がそうした閉塞を乗り超え、希望の時代の幕開けを告げてゆくことは不可能ではあるまい。そのために、いま求められていること――それは、個と個の間で開かれた対話を積み重ねながら、人間らしく生きることの条件について一人ひとりが粘り強く思考することではないか。その営みの糧となるものが、教養に外ならないと私たちは考える。歴史とは何か、よく生きるとはいかなることか、世界そして人間はどこへ向かうべきなのか――こうした根源的な問いとの格闘が、文化と知の厚みを作り出し、個人と社会を支える基盤としての教養となった。まさにそのような教養への道案内こそ、岩波新書が創刊以来、追求してきたことである。

岩波新書は、日中戦争下の一九三八年一一月に赤版として創刊された。創刊の辞は、道義の精神に則らない日本の行動を憂慮し、批判的精神と良心的行動の欠如を戒めつつ、現代人の現代的教養を刊行の目的とする、と謳っている。以後、青版、黄版、新赤版と装いを改めながら、合計二五〇〇点余りを世に問うてきた。そして、いままた新赤版が一〇〇〇点を迎えたのを機に、人間の理性と良心への信頼を再確認し、それに裏打ちされた文化を培っていく決意を込めて、新しい装丁のもとに再出発したいと思う。一冊一冊から吹き出す新風が一人でも多くの読者の許に届くこと、そして希望ある時代への想像力を豊かにかき立てることを切に願う。

（二〇〇六年四月）

井上勝生

1945年岐阜県に生まれる
1967年京都大学文学部卒業
専攻－日本近代史
現在－北海道大学名誉教授
編著書－『幕末維新政治史の研究』(塙書房)
『開国と幕末変革』〈日本の歴史 18〉(講談社)
『開国』〈幕末維新論集 2〉(編著，吉川弘文館)
『東学農民戦争と日本』(共著，高文研)
『明治日本の植民地支配』(岩波現代全書)
ほか
論文－「札幌農学校と植民学の誕生」〈『岩波講座「帝国」日本の学知』第1巻〉
「甲午農民戦争(東学農民戦争)と日本軍」〈田中彰編『近代日本の内と外』〉(吉川弘文館)
ほか

幕末・維新
シリーズ 日本近現代史①　　岩波新書(新赤版)1042

2006年11月21日 第1刷発行
2024年9月25日 第27刷発行

著　者　井上勝生《いのうえかつお》

発行者　坂本政謙

発行所　株式会社 岩波書店
〒101-8002 東京都千代田区一ツ橋 2-5-5
案内 03-5210-4000　営業部 03-5210-4111
https://www.iwanami.co.jp/

新書編集部 03-5210-4054
https://www.iwanami.co.jp/sin/

印刷製本・法令印刷　カバー・半七印刷

ISBN 978-4-00-431042-6　　Printed in Japan

索 引

あ 行

か 行

さ 行

ま　行

や　行

ら・わ 行

略年表

＊日本の項の年月日は，1872 年までは太陰暦，1873 年以後は太陽暦

年	日本	世界
1853（嘉永 6）	6 ペリー，浦賀に来航 7 プチャーチン，長崎に来航	3 太平天国軍，南京入城 10 露土戦争(クリミア戦争)開戦 12 アメリカ，ニューメキシコなど併合
1854（安政 1）	1 ペリー，江戸湾内へ再来航 3 日米和親条約，締結 閏 7 英仏連合艦隊，カムチャツカ半島ロシア軍基地攻撃．英海軍スターリング長崎来航．摂津・河内綿国訴 8 日英協約，締結 12 日露和親条約，締結	3 クリミア戦争にイギリス・フランス参戦
1855（安政 2）	2 幕府，蝦夷地全島直轄 4 長崎奉行，フランス司令官に条約締結を提案 10 堀田正睦，老中首座につく	9 ロシア，セバストポリ放棄
1856（安政 3）	2 蕃書調所設置（1863 年，開成所に改称） 6 岡山，渋染一揆おこる 7 ハリス，下田来航 10 島津斉彬，積極通商策を表明	3 クリミア戦争おわる 10 アロー戦争おこる
1857（安政 4）	6 老中阿部正弘，没 10 ハリス，江戸城登城	5 インドの大反乱おこる 9 ムガール帝国，滅亡
1858（安政 5）	1 堀田正睦，条約承認要請のため京都へたつ	6 清国，欧米諸国と天津条

	3 88人の公家，条約承認反対の列参．天皇，条約不承認 6 日米修好通商条約，締結．加賀・越中・能登大一揆おこる 8 戊午の密勅 9 安政の大獄はじまる	約，締結
1859 (安政6)	6 横浜・長崎・箱館で自由貿易，開始 12 信濃国南山一揆	7 インドの大反乱，鎮圧
1860 (万延1)	3 桜田門外で井伊直弼，暗殺 5 幕府，和宮降嫁を朝廷に要請	10 英仏連合軍，北京を占領
1861 (文久1)	2 ロシア軍艦，対馬来航，芋浦崎で占拠事件 3 長州藩，航海遠略策を採用	4 南北戦争はじまる
1862 (文久2)	1 老中安藤信正，坂下門外で襲われる 2 和宮降嫁 4 島津久光，率兵上京．寺田屋事件 8 生麦事件，イギリス商人斬殺 閏8 幕府参勤交代制を緩める．松平容保が京都守護職 12 朝廷に国事御用掛を設置	5 英仏軍，太平天国軍を各地で制圧
1863 (文久3)	3 将軍家茂，上京 5 長州藩，下関でアメリカ商船などを奇襲砲撃 6 長州藩，奇兵隊を結成 7 薩英戦争 8 長州藩，幕府詰問使一行暗殺事件．天誅組の蜂起．八月一八日の政変，長州藩追放される 10 生野の変	
1864 (元治1)	1 参予会議はじまる(3 終幕) 6 池田屋事件 7 蛤御門の変，長州藩が敗北 8 四国連合艦隊が下関砲撃．長州藩三田尻海岸部村々の一揆	7 湘軍，天京占領，太平天国軍の敗北

1865 (慶応 1)	5 摂津・河内国 1263 カ村菜種国訴(江戸時代最大の国訴) 閏 5 イギリス公使パークス，着任 9 イギリスなど四国連合艦隊，兵庫来航 10 三日間の朝議，条約勅許	4 南北戦争おわる
1866 (慶応 2)	1 薩長連合密約(薩長同盟)，成立 5 改税約書．大坂打ちこわし，江戸打ちこわし 6 幕長戦争はじまる．武州世直し一揆．陸奥国信達一揆 7 出羽国兵蔵騒動 8 小倉藩一揆，木曾騒動 11 美作国改政一揆 12 徳川慶喜が将軍につく．孝明天皇没	9 朝鮮，大同江侵入の米シャーマン号を撃沈 10 フランス艦隊侵攻(11 江華島で撃破される)
1867 (慶応 3)	1 祐宮(明治天皇)皇位継承，二条斉敬摂政 3 将軍慶喜，列国公使謁見 5 兵庫開港を朝廷，承認する 6 薩土盟約，締結 7 ええじゃないか起こる 9 薩長，討幕挙兵盟約 10 将軍慶喜，大政奉還 11 坂本龍馬，暗殺される 12 王政復古のクーデター	2 北ドイツ連邦成立
1868 (明治 1)	1 鳥羽伏見の戦い．備前藩の神戸事件おこる(兵庫) 2 土佐藩の堺事件．上州世直し一揆 3 相楽総三ら偽官軍として梟首される．五箇条の誓文．武州世直し一揆 4 新政府軍が江戸城入城 閏 4 政体書発令 5 奥羽越列藩同盟，成立．上野彰義隊討滅．太政官札発行 7 江戸，東京と改称 8 天長節を定める．越後国下田騒動	

	9 会津藩降伏 10 会津ヤーヤー一揆おこる．藩治職制 12 榎本武揚，蝦夷地を占拠．新政権，朝鮮へ書契をおくる	
1869 (明治 2)	1 薩長土肥藩主，版籍奉還を献策 2 飛驒国梅村騒動 5 榎本軍降伏，戊辰戦争おわる 6 版籍奉還 7 蝦夷地に開拓使(8 北海道と改称)．伊那郡飯田二分金騒動．美濃国デンデコ騒動 8 民部・大蔵合併．信濃国上田騒動，会田騒動，川西騒動 9 越後国糸魚川にせ金騒動．大村益次郎襲撃される(11 死去) 10 羽前国天狗騒動．上野国五万石騒動．金沢藩領越中国バンドリ騒動．摂津国三田藩一揆 11 長州藩諸隊の脱隊事件(70年 2 鎮圧される) 12 武蔵国御門訴事件	11 スエズ運河開通
1870 (明治 3)	7 民部・大蔵両省分離．越後国藤七騒動 9 藩制 閏 10 工部省をもうける 11 豊後国日田県農民一揆．信濃国松代騒動 12 中野騒動	7 普仏戦争はじまる 10 イタリアの統一完了
1871 (明治 4)	1 参議広沢真臣，暗殺 2 薩長土三藩で親兵を設ける．福島県川俣地方一揆 5 新貨条例 7 廃藩置県．日清修好条規調印 8 安芸郡武一騒動．伊予国大洲一揆．華士族・平民の結婚許可．解放令の発令 9 讃岐国藩主引き留め一揆．備後国同一	1 ウィルヘルム 1 世即位，ドイツ帝国成立 3 パリ・コンミューン成立 6 アメリカ艦隊，朝鮮江華

	揆．豊前国同一揆 10 播磨国播但一揆 11 伊賀国一揆．岩倉使節団，出発 12 加賀国みの虫騒動．土佐国膏取り騒動	島襲撃(7 撃退される) 6 ロンドン・上海，電信が開通
1872 (明治 5)	2 土地永代売買禁令廃止 4 大区小区制を布き，庄屋など廃止，戸長をおく 5 日本側，朝鮮釜山倭館を欄出，強訴事件 7 地券発行，壬申地券 8 学制 9 鉄道，新橋と横浜間開業．琉球王尚泰を琉球藩主とする．開拓使，地所規則，北海道土地売貸規則発令 11 太陽暦採用，12 月 3 日が元旦に 12 大分県打ちこわし	
1873 (明治 6)	1 徴兵令 3 神武天皇即位日を紀元節と称す．副島種臣特命全権大使，清国へ発つ 5 北条県徴兵令反対血税一揆(岡山県北部) 6 福岡県新政反対筑前竹槍一揆．鳥取県会見郡徴兵令反対一揆．広島県徴兵令・解放令反対一揆．讃州竹槍騒動 7 天草血税騒動．島根県徴兵令反対一揆．京都府徴兵令反対屯集．地租改正条例 8 西郷隆盛の朝鮮派遣が決まる．長崎県徴兵令反対屯集 9 岩倉具視が米欧回覧から帰国．酒田県ワッパ騒動 10 再度，西郷の朝鮮派遣が決まる．岩倉の上表で派遣無期延期 11 内務省設置，大久保独裁始まる 12 秩禄奉還の法	2 清国で同治帝の親政始まる 9 ニューヨーク株式取引所閉鎖，大不況はじまる 11 フランス軍ハノイ占領．朝鮮の大院君失脚

1874 (明治 7)	1 板垣退助ら民撰議院設立建白書を提出 2 佐賀の乱．正院，台湾出兵を決める 5 台湾出兵 6 鹿児島に私学校設立 8 大久保，清国へ向かう 10 日清の互換条約締結	3 ベトナム，フランスの保護国となる
1875 (明治 8)	2 三菱商会，上海定期航路を開く．大阪会議で板垣・大久保・木戸ら連合 3 地租改正事務局，設けられる 5 樺太・千島交換条約 7 琉球藩，清国への朝貢廃止など命令 9 三菱への特権的海運保護政策が決まる．江華島事件おこる 12 朝鮮へ黒田清隆全権使節ら出発	2 雲南で英人通訳官マーガリー殺害
1876 (明治 9)	2 日朝修好条規，締結 3 廃刀令が出る 5 和歌山県那賀郡地租改正反対農民騒動 8 金禄公債証書発行条例 9 開拓使，毒矢猟禁止 10 神風連の乱·秋月の乱·萩の乱おこる 11 茨城県地租改正反対一揆 12 三重・愛知・岐阜県地租改正反対農民一揆	5 青年トルコ党のクーデターおこる 9 清国とイギリス，芝罘条約を結ぶ
1877 (明治 10)	1 地租軽減される．熊本県阿蘇郡打ちこわし一揆 2 西南戦争はじまる 3 田原坂の戦い，政府軍が勝利 4 西郷軍，敗走 5 第十五国立銀行設立 9 西郷軍降伏，西南戦争終了	4 露土戦争はじまる

参考文献

本文のなかで直接に言及した文献(一部，図版も含む)をはじめ執筆にあたって参考にしたものを掲げた．その他，ここでは紙数の関係からいちいち挙げないが，多くの文献に教えられたことを付記しておく．

全体を通して

山崎隆三『地主制成立期の農業構造』青木書店，1961年

田中彰『明治維新政治史研究』青木書店，1965年

石井孝『増訂 明治維新の国際的環境』吉川弘文館，1966年

田中彰『明治維新』(日本の歴史24)小学館，1976年

下山三郎『近代天皇制研究序説』岩波書店，1976年

芝原拓自『日本近代化の世界史的位置』岩波書店，1981年

榎森進『日本民衆の歴史・地域編8 アイヌの歴史』三省堂，1987年

藤田覚『幕藩制国家の政治史的研究』校倉書房，1987年

石井寛治『開国と維新』(大系日本の歴史12)小学館，1989年

中村哲『明治維新』(集英社版日本の歴史16)集英社，1992年

坂野潤治『近代日本政治史』岩波書店，2006年

はじめに

ネルソン・マンデラ，東江一紀訳『ネルソン・マンデラ自伝 自由への長い道』2冊，NHK出版，1996年

第1章

石井孝『日本開国史』吉川弘文館，1972年

加藤祐三『黒船前後の世界』岩波書店，1985年

三谷博『明治維新とナショナリズム』山川出版社，1997年

第2章

島崎藤村『夜明け前』2冊，新潮社，1935年

尾佐竹猛『明治維新』上の2，白揚社，1946年
中村哲『明治維新の基礎構造』未来社，1968年
周布公平，妻木忠太『周布政之助伝』2冊，東京大学出版会，1977年
上原兼善『鎖国と藩貿易』八重岳書房，1981年
石井寛治『近代日本とイギリス資本』東京大学出版会，1984年
原口清「文久三年八月一八日政変に関する一考察」，明治維新史学会編『幕藩権力と明治維新 明治維新史研究1』吉川弘文館，1992年
アイヌ文化振興・研究推進機構編『アイヌの四季と生活：十勝アイヌと絵師・平山屛山』アイヌの四季と生活展帯広実行委員会，1999年
高埜利彦『江戸幕府と朝廷』(日本史リブレット)，山川出版社，2001年
高橋秀直「文久二年の政治過程」『京都大学文学部研究紀要』42号，2003年

第3章

柴田三千雄・柴田朝子「幕末におけるフランスの対日政策」『史学雑誌』76編8号，1967年
金井圓編訳『描かれた幕末明治 イラストレイテッド・ロンドン・ニュース 日本通信 1853-1902』雄松堂書店，1973年
安丸良夫『日本の近代化と民衆思想』青木書店，1974年
高木俊輔『明治維新草莽運動史』勁草書房，1974年
石井寛治・関口尚志編『世界市場と幕末開港』東京大学出版会，1982年
維新史料編纂会編『維新史』6冊，吉川弘文館，1983年(1939～41年の復製)
宮本常一『忘れられた日本人』岩波書店(文庫)，1984年
田中彰『高杉晋作と奇兵隊』岩波書店(新書)，1985年
伊藤千尋『燃える中南米』岩波書店(新書)，1988年
藪田貫『国訴と百姓一揆の研究』校倉書房，1992年
三宅紹宣『幕末・維新期長州藩の政治構造』校倉書房，1993年

谷山正道『近世民衆運動の展開』高科書店，1994 年
白川部達夫『日本近世の村と百姓的世界』校倉書房，1994 年
玄明喆「幕末対馬藩政治史の研究」(北海道大学文学部，文学博士学位論文)，1995 年
熊沢徹「幕末の鎖港問題と英国の軍事戦略」『歴史学研究』700 号，1997 年
熊谷光子「畿内・近国の旗本知行所と在地代官」『日本史研究』428 号，1998 年
萩原延壽『遠い崖 アーネスト・サトウ日記抄』14 冊，朝日新聞社，1998〜2001 年
宮地正人『幕末維新期の社会的政治史研究』岩波書店，1999 年
青山忠正『明治維新と国家形成』吉川弘文館，2000 年
国立歴史民俗博物館編『地鳴り 山鳴り——民衆のたたかい三〇〇年』(解説・久留島浩)，同博物館，2000 年
久留島浩『近世幕領の行政と組合村』東京大学出版会，2002 年
保坂智『百姓一揆とその作法』吉川弘文館(歴史文化ライブラリー)，2002 年
佐々木克『幕末政治と薩摩藩』吉川弘文館，2004 年
保谷徹「オールコックは対馬占領を言わなかったか」『歴史学研究』796 号，2004 年
麓慎一「ポサドニック号事件について」『東京大学史料編纂所研究紀要』15 号，2005 年
渡辺京二『逝きし世の面影 日本近代素描 1』平凡社(平凡社ライブラリー)，2005 年

第 4 章

遠山茂樹『明治維新』岩波書店(全書)，1951 年，1972 年改版
原口清『戊辰戦争』塙書房，1963 年
茂木陽一「北条県血税一揆の歴史的意義」『日本史研究』238 号，1982 年
国立史料館編『明治開化期の錦絵』東京大学出版会，1989 年
深谷克己「世直し一揆と新政反対一揆」安丸良夫・深谷克己校注『民衆運動』(日本近代思想体系 21)，岩波書店，1989 年

茂木陽一「大区小区制期の民衆闘争」『日本史研究』333 号，1990 年
田中彰校注『開国 日本近代思想体系 1』岩波書店，1991 年
井上勲『王政復古』中央公論社(新書)，1991 年
高橋秀直「廃藩置県における権力と社会」山本四郎編『近代日本の政党と官僚』東京創元社，1991 年
今西一『近代日本の差別と村落』雄山閣出版，1993 年
E. J. ホブズボーム，浜林正夫他訳『産業と帝国(新装版)』未来社，1996 年
宮崎克則「戦争とうちこわし」『新しい近世史 5』新人物往来社，1996 年
溝口敏麿「維新変革と庄屋役入札」明治維新史学会編『明治維新の地域と民衆』吉川弘文館，1996 年
松尾正人『廃藩置県の研究』吉川弘文館，2001 年
高橋秀直「王政復古政府論」『史林』86 巻 1 号，2003 年
京都国立博物館編『龍馬の翔けた時代 特別展覧会 坂本龍馬生誕 170 年記念』京都新聞社，2005 年

第 5 章

金城正篤「「琉球処分」と民族統一の問題」『史林』50 編 1 号，1967 年
広瀬靖子「江華島事件の周辺」『国際政治』37 号，1968 年
ひろたまさき『文明開化と民衆意識』青木書店，1980 年
有島武郎『カインの末裔・クララの出家』岩波書店(文庫，改版)，1980 年
朴廣成「高宗朝의民乱研究」『伝統時代의民衆運動』下，풀빛(ソウル)，1981 年
辺土名朝有「琉球処分」鹿野政直・由井正臣編『近代日本の統合と抵抗 1』日本評論社，1982 年
姜萬吉『韓国近代史』高麗書林，1986 年
『사진으로 보는 独立運動』(写真で見る独立運動)(상)외침과투쟁(上，外侵と闘争)，서문당(ソウル)，1987 年
丹羽邦男『土地問題の起源』平凡社(選書)，1989 年

上杉聰『明治維新と賤民廃止令』解放出版社，1990 年
永井秀夫『明治国家形成期の外政と内政』北海道大学図書刊行会，1990 年
樺太アイヌ史研究会編『対雁の碑』北海道出版企画センター，1992 年
茂木陽一「新政反対一揆と地租改正反対一揆」『シリーズ日本近現代史 構造と変動 1 維新変革と近代日本』岩波書店，1993 年
藤村道生『日清戦争前後のアジア政策』岩波書店，1995 年
一瀬啓恵「明治初期における台湾出兵政策と国際法の適用」『北大史学』35 号，1995 年
三澤純「維新変革と村落民衆」『新しい近世史 4』新人物往来社，1996 年
諸洪一「明治初期における日朝交渉の放棄と倭館」『年報朝鮮学』6 号，1997 年
孫承哲，山里澄江・梅村雅英訳『近世の朝鮮と日本』明石書店，1998 年
諸洪一「『癸酉政変』後の日朝交渉」『日本歴史』621 号，2000 年
山田伸一「近代の政治・社会」『アイヌ民族に関する指導資料』財団法人アイヌ文化振興・研究推進機構，2000 年
東学農民革命国際シンポジウム事務局編『東学農民革命(甲午農民戦争) 国際学術大会資料集』全州市，2001 年
鈴木淳「史料紹介 「雲揚」艦長井上良馨の明治八年九月二九日付け 江華島事件報告書」『史学雑誌』111 編 12 号，2002 年
沖縄歴史教育研究会『高等学校 琉球・沖縄史(新訂増補版)』編集工房東洋企画，2001 年
深谷克己監修，齋藤純・保坂智編『百姓一揆事典』民衆社，2004 年
中塚明「江華島事件再考」『社会評論』140 号，2005 年

おわりに

平川新『紛争と世論』東京大学出版会，1996 年